Antes que o sonho acabe

Hermes Leal

ANTES QUE O SONHO ACABE

1ª edição — Outubro de 2014

Grafia atualizada segundo o Acordo Ortográfico da Língua Portuguesa de 1990,
que entrou em vigor no Brasil em 2009

Editor e Publisher
Luiz Fernando Emediato

Diretora Editorial
Fernanda Emediato

Produtora Editorial e Gráfica
Priscila Hernandez

Assistentes Editoriais
Adriana Carvalho
Carla Anaya Del Matto

Capa
Alan Maia

Diagramação
Futura

Preparação de Texto
Carmen Garcez

Revisão
Rinaldo Milesi
Marcia Benjamim

DADOS INTERNACIONAIS DE CATALOGAÇÃO NA PUBLICAÇÃO (CIP)
(Câmara Brasileira do Livro, SP, Brasil)

Leal, Hermes
Antes que o sonho acabe / Hermes Leal. --
1. ed. -- São Paulo : Geração Editorial, 2014.

ISBN 978-85-8130-102-0

1. Ficção brasileira I. Título.

12-10145 CDD-869.93

GERAÇÃO EDITORIAL

Rua Gomes Freire, 225 – Lapa
CEP: 05075-010 – São Paulo – SP
Telefax: (+ 55 11) 3256-4444
E-mail: geracaoeditorial@geracaoeditorial.com.br
www.geracaoeditorial.com.br

Impresso no Brasil
Printed in Brazil

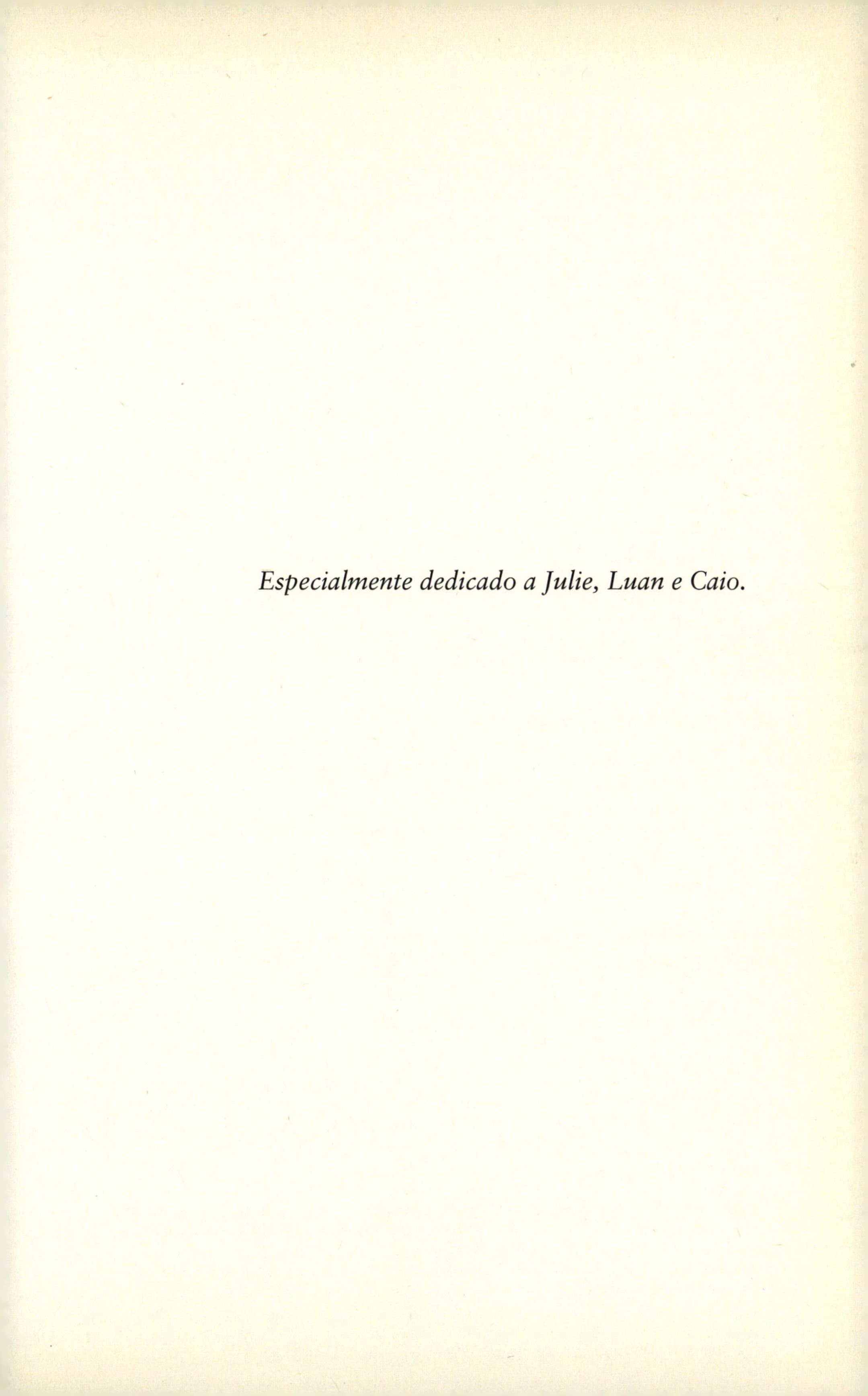

Especialmente dedicado a Julie, Luan e Caio.

A vida é curta para ser pequena.
CHACAL

SUMÁRIO

As putas cegas do Vietnã

É aquela casinha ali no meio daqueles armazéns velhos. Vê? Só entrei ali na noite do meu aniversário de dezesseis anos. Fui lá porque eu nunca tinha visto uma mulher nua. Era uma questão de vida ou morte. Foi ideia do idiota do Geraldo, um amigo meio diferente de mim, mas o único que eu tinha. Me levou no puteiro pra quebrar esse estigma de ser virgem que nenhum adolescente gosta de levar. Mas nem era para entrar no Vietnã não, eu fui ver as putas peladas se mostrando para os soldados, eu tinha que ficar olhando tudo pelo lado de fora da casa, através da porta da cozinha que dava para o salão onde as putas faziam seus *shows*. Era menor de idade e também muito tímido. Olhava as garotas bonitas na escola, mas de longe, sem ser visto. Eu era um matuto vindo do mato e com medo de pecar ou fazer alguma coisa errada e ser punido, então apenas ver uma mulher pelada já era vencer uma barreira imensa.

O Vietnã era o único divertimento dos soldados vindos de São Paulo e do Rio de Janeiro, na maioria recrutas ignorantes que tomavam Tetrex, um poderoso antibiótico, antes de ir para o puteiro, como prevenção para não pegar gonorreia, como se o uso do remédio evitasse o contágio da doença. Naquela noite quente o Vietnã estava cheio de mulheres nuas. A guerra nuclear poderia começar a qualquer momento e destruir o mundo e eu me arrisquei, não podia perder mais tempo.

— Agora que tá aqui não vai afrouxar — Geraldo me dizia pelo cangote, reluzindo todos seus dentes iluminados pela tragada do cigarro.

Escondido atrás da porta, cagando de medo de ser flagrado, ou de papai descobrir depois, eu não conseguia mais desgrudar os olhos daquele lugar infernal, fedendo a cigarro e cachaça, putas mostrando a bunda, soldados empurrados por abusar demais das mulheres, finalmente descobria por que aquele lugar condenado chamado Vietnã era tão famoso e divertido.

O mundo pecador que acontecia dentro da pequena sala abarrotada de soldados fumando, bebendo cerveja e se esfregando nas putas, me fez esquecer a repressão de estar fazendo algo errado e entrei com os olhos e os ouvidos entre os soldados barulhentos, alguns portando metralhadoras e imensas pistolas na cintura, todos armados porque podiam ser surpreendidos pelos guerrilheiros. Usava minha audição afiada para penetrar mais naquele mundo proibido. Eu separava os sons, as risadas idiotas dos soldados bêbados, relatos dos seus causos de valentia na guerra selvagem que travaram nas matas, muitos palavrões, e a música chiada de Roberto Carlos vinda de um disco arranhado rodando em uma radiola portátil de uma caixa só em cima de um minúsculo balcão. Eu jamais tocaria na bunda de uma mulher, mesmo assim eu quis entrar ali e fazer a mesma coisa que os selvagens estavam fazendo naquele mundo novo fascinante e pecador.

De repente despontou uma mulher de maiô vinda da cozinha. Passou perto da porta onde eu me escondia, entrou no salão e foi recebida com palmas e assovios como se fosse uma estrela. O cabaré foi às nuvens, e eu junto, quando ela subiu num pequeno palco, ajudada por uma puta velha que cuidava das bebidas. Soldados bons e outros feridos de guerra se agitavam em frenesi quando a rapariga meio gordinha começou a rebolar suas pelancas enfiadas em um velho biquíni, iniciando um *striptease*. Eu esqueci o mundo repressor, o abrigo antibombas nucleares do papai e as humilhações na oficina, fui para outro mundo como eu fazia dentro do cinema.

A música chegou ao fim e a rapariga parou de dançar totalmente nua, mas só dançou de frente para os periquitos e não para mim. Mas aí ela se virou para voltar e colocou uma mão na frente e outra atrás para sair da sala escondendo os peitos e o resto, e no fim eu não vi a tal da mulher toda nua. Ela veio andando em minha direção e tropeçou, mas em vez de cair logo, não, a rapariga andou trôpega e meteu os pés pelas mãos, tentou se segurar numa parede, mas só encontrou o vazio e foi cair exatamente na porta onde eu estava, caiu em cima de mim com todo o seu corpo. A mulher gorda, suada e sem roupa ficou toda em cima de mim caído de costas no quintal sujo de bosta de galinha se debatendo com seus peitos moles, sem conseguir se levantar, como se fosse um jabuti com o casco virado para cima. Que horror. Meu nariz se encaixou debaixo do seu sovaco molhado e fedido à carniça untada de perfume ruim misturado com o fedor rançoso dos soldados matadores de guerrilheiros. Só não vomitei porque não tinha ar nos pulmões. Geraldo ria feito um idiota. O pior veio depois. Quando tiro meu rosto do sovaco fedorento fico frente a frente com o rosto dela. Aí o bicho pegou. Eu vi que seus olhos eram brancos e senti um arrepio, o meu sangue me deixar e sair correndo das veias, as mãos geladas, tudo num milésimo de segundo. Ela não tinha olhos, era cega e não tinha as pupilas nem nada. Aqueles olhos de filme de terror japonês bem na minha frente e eu não podia berrar também porque ainda não tinha recebido oxigênio nos pulmões. Mas juro que eu não tinha mais pulso.

Não que eu seja tão cagão. Mas eu não merecia aquilo. Os soldados e o Geraldo me gozaram e eu fechei a cara para todos eles, era a minha forma de reagir, como uma onça faz diante do caçador, se mostra mais feroz do que ele, demonstrando com os dentes que ela, a onça, não é para se brincar, eu era assim. Geraldo me tirou rapidamente de lá de dentro como se eu fosse um idiota passando vergonha e que precisasse fugir. Fugi como um rato, aumentando mais dentro de mim a revolta que normalmente eu já tinha.

— É meu amigo, e está comigo, gente.

Eu não achava que ele estava me fazendo um favor como ele achava que fazia, eu não era uma pessoa para brincadeira, para aguentar gozação, nisso eu puxava ao papai, era valente como ele, ao menos pela boca, e isso, esse aviso, estava valendo para o Geraldo também.

Eu não tinha outro amigo senão esse. Não tinha o costume de ter amigo porque cresci num lugar sem outras pessoas em volta e sem saber o que era amizade e outras atitudes sociais. Geraldo foi um cara que grudou em mim porque eu não grudava em ninguém, mas mudou muito a personalidade depois que virou soldado, acabara de ganhar a farda, e desde então vinha se achando o tal que não era, com a cabeça formatada para matar guerrilheiros, só pensava nisso. E, como todos os outros soldados, não saía mais do Vietnã gastando seu pouco soldo com as raparigas porque nunca teve uma mulher de verdade. Moreno, magro e de cabelo ruim, fumava deixando o cigarro no canto da boca para parecer boçal, Geraldo tinha o olhar falso, inseguro, os olhos com as veias vermelhas saltando.

Na rua eu ainda mantinha o pânico, ainda via os olhos brancos em tudo o que eu olhava. Me livrei de suas mãos com um safanão, e pegamos uma rua que margeia todo o rio até o porto, como se as carnes moles como geleia e o fedor ainda estivessem grudados em mim, e pensava se a notícia dessa merda se espalha, Geraldo dá com a língua nos dentes, e todo mundo da escola ficasse sabendo. E pensava também se a notícia chegasse em casa, aumentando minha raiva. Se eu encontrasse uma pessoa que me falasse qualquer merda naquela hora eu brigava, morria ou matava. Nem a justificativa de que a mulher era cega, e como não tinha puta suficiente para atender aos soldados, tiveram de recrutar até cegas daqui e de outras cidades, melhorou em nada a minha raiva. Deu tudo errado. Nem mulher nua, e pior, a merda toda podia vazar e cair nos ouvidos do papai e na boca dos moleques do colégio de freiras onde eu estudava com minhas três irmãs.

Andava margeando esse rio com o Geraldo andando devagar para me irritar. Olhava para um lado e para outro daquela escuridão achando que poderíamos ser atacados a qualquer instante. Parecia um moleque brincando de guerra invisível. Parou debaixo de um poste de luz e olhou-se de farda, se exibia para mim, como se quisesse mostrar uma superioridade que de fato não existia entre nós, eu não tinha noção de superioridade ou inferioridade. Eu podia ser enfezado e falar que nem matuto, mas não tinha a cara de faminto dele. Essa expressão de quem passa fome gera um tipo de feição no rosto da pessoa que ninguém disfarça.

De repente, Geraldo parou e bateu em mim.

— Presta atenção. Eu num sou frouxo. Vou matar essas guerrilheiras assim, tá tá tá. — Insistia nessa ideia de que não cairia nas armadilhas sedutoras das guerrilheiras loiras e bonitas que surgem nuas no meio da mata e pegam os soldados de surpresa.

Na parede do posto de gasolina de frente para o porto havia cartazes com fotos de terroristas sendo procurados e chamou a atenção de Geraldo. Embaixo da foto de um homem negro estava escrito "Procura-se Osvaldão, terrorista perigoso".

— Esse aí eu tenho vontade de pegar. Dizem que ele tem o corpo fechado, que ninguém mata ele. Mas isso eu quero ver.

Esse já matou muito soldado, mas se ele topar comigo, a última coisa que ele vai ver antes de morrer será a minha cara.

Todo mundo se cagava de medo dos guerrilheiros. Viviam aqui, mas eu não os conhecia, e ficaram mais populares em outras cidadezinhas em volta daqui, no Pará. Antes de serem descobertos como sendo terroristas eram bonzinhos com a população, atuavam como médicos e professores, agora eram temidos como sanguinários. Essa neura do Geraldo existia em todo mundo, em mim funcionava muito pouco, eu ainda não sabia mesmo qual era o lado bom ou ruim das coisas, essa guerra só aparecia nos meus pesadelos sobre o fim do mundo, numa guerra nuclear que dizimava a Terra.

— Eu quero mesmo é topar com uma dessas aí. Não caio nem morto nas garras delas — disse Geraldo diante da foto de uma guerrilheira chamada Dinalva, também muito famosa por ajudar as pessoas pobres da região e agora já tinha matado muitos soldados em emboscadas.

— Mato ela e depois cato. Só depois de matar a disgramada.

O Geraldo era isso aí.

— Vá se ferrar, Geraldo! — eu disse, me zangando de vez.

Ele parou de andar e olhou para mim assustado, como se aquela fosse a primeira vez que me via assim, eu não era respondão a ninguém, nem a ele. É que Geraldo era um idiota feito. Fechou os dentes diante da minha carranca.

Eu nunca soube o seu segundo nome, até como soldado Geraldo não ganhou sobrenome como todos os outros, chamava-se Geraldo, os outros eram Lima, Soares, Ferreira, o segundo ou terceiro nome, ele não, permaneceu com o primeiro nome como se não tivesse pai nem mãe. Mas ele tinha pai, mãe e irmãos. O sujeito era magro por falta de comida em casa, viviam tão pobres que nem tinham cadeiras para se sentar, somente tamboretes surrados, tudo na sua casa tinha cor de bosta. Era quase encostada à nossa, só tinha de benesses a luz elétrica e água encanada, a privada era no chão do quintal, nem uma cintina eles tinham, as crianças faziam as precisões no chão mesmo como se ainda estivessem no mato. As míseras galinhas que vinham da vizinhança, inclusive da minha casa, cuidavam de limpar a sujeira do quintal.

Papai proibia a minha irmã Geísa, que é meio tola, de passar comida por cima do muro para a mãe dele alimentar suas irmãs e um irmão menor quando choravam de fome, papai dizia que não era problema nosso.

— Deixasse! De fome não vão morrer — dizia forçando uma voz alta, no quintal, para eles ouvirem do outro lado do muro.

Geraldo parou de andar de repente antes de a gente entrar na pracinha onde casais namoravam e se paqueravam, um lugar ao qual eu não tinha acesso assim como ele, e tirou as mãos do bolso, virou-se para mim e disse que iria voltar. Eu fiquei ali entre a praça e o jipe que ficava de vigia no porto com uma metralhadora ponto cinquenta com mais de cinquenta quilos de balas pronta para disparar, balas para furar qualquer barco que cruzasse o rio, seu cano apontava para os barcos, mas todo mundo sentia ele apontando para si.

— Não vou perder aquela festa por nada.

Virou as costas me deixando puto da vida querendo achar um para matar.

A CALCINHA DA HELOISA

Até então, com dezesseis anos, enquanto os colegas de escola se gabavam de ter mexido com uma mulher, transar para mim então nem existia ainda no plano real, era atrasado demais, agia como se tivesse onze anos, tinha medo de almas e de garotas. E achava um problema somente meu. Um problema porque eu era apaixonado por uma menina da escola, a Heloisa, amiga de minha irmã, a conhecia desde pequena, até que um dia tudo mudou. Limpava o fundo das calças e checava se a camisa estava com caca e cheiro da puta cega. Apressei em sair logo da rua onde as almas se escondiam nas copas das centenárias mangueiras e saíam de lá quando eu passava e me seguiam pelo fio de vento que eu deixava andando tão aflito rumo à casa da Heloisa, a menina mais bonita do mundo, e distante também. Um amor impossível.

À medida que me aproximava da casa dela, numa rua sem mangueiras e com maior luminosidade, meus nervos foram se acalmando, o vento trouxe uma música tocada distante, um som empolgante de *jazz*, e voltei ao nervosismo novamente. Eu tinha ouvido para coisas que somente eu escutava. E via mais que os outros. Aquela música inconfundível foi a confirmação de que Heloisa estaria acordada. Ela tinha a minha idade, os seus cabelos curtos tipo Valentina di Crepax, que ela viu em uma revista de moda e seu pai, que além de tocador era barbeiro, fez um corte exato. Uma menina pra frente. Meu medo, na verdade, era porque eu não sabia o que fazer no caso de encontrá-la. E se ela nem olhasse para mim? E se eu falasse alguma besteira e ela achasse feio? E se ela descobrisse que eu estava apaixonado por ela? E aí, o que eu faria?

Nem fazia dois meses eu tive uma visão maravilhosa da Heloisa que mudou minha vida desde então. Ela vive na minha casa porque não desgruda da minha irmã Isabel. As duas estavam sentadas em cadeiras de balanço na calçada de casa, num desses finais de tarde em que a gente se juntava para ver o povo passando na rua antes de a televisão chegar, e eu da rua, na frente das duas, via as pernas da Heloisa se abrindo e fechando intuitivamente, deixando aparecer toda a sua calcinha branca. Ela me viu olhando e fez que não viu, continuou e eu não conseguia sair da sua frente mesmo com toda a vergonha do mundo, até que ela olhou bem nos meus olhos, eu corei e sumi de repente. O resultado disso foi devastador. Nunca mais desde então tinha tido coragem de lhe dirigir um á. Virei um Stephen Dedalus, tentando me libertar do desejo ligado ao pecado, de apenas querer e não pensar em ser punido por gostar de mulher e de sexo, como pregavam os nossos pais, os padres e freiras na escola. A gente se encontrava lá em casa ou na escola e nossos olhares sempre se cruzavam como se ela quisesse dizer que sabia que eu gostava dela. Mas eu não tinha certeza se ela me olhava com algum interesse também. No mesmo instante em que seus olhos sumiam do meu eu já pensava o contrário, que era tudo viagem minha. Vivia escondendo de todo mundo que pensava nela dia e noite, noite e dia.

Eu sabia que não tinha chances com ela porque eu tinha cara de marruá, de zangado, tinha os cabelos raspados como os meninos caretas que cortam o cabelo como seus pais, e as meninas gostavam mesmo era dos cabeludos, além da vergonha de falar alguma palavra errada, com sotaque do sertão, e vivia sujo de carvão, com marcas de surras nos braços, enfim, misturando tudo resultava numa tremenda baixa autoestima. Nunca havia beijado uma garota. Mesmo assim eu andava pensando em fazer qualquer coisa, o impensável, especialmente alguma mágica para a gente namorar. Eu carregava os efeitos de uma repressão religiosa, achava que tudo relacionado a sexo e ao desejo era pecado, peguei isso nas missas a que eu assistia aos domingos quando era moleque. Sem falar que antes eu havia sido alfabetizado no Pindaré, um pé de serra onde eu só conhecia chapadas, brejos, riachos, tucanos, juriti, o tempo certo para plantar e colher, essas coisas de natureza bruta, arcaica, então, pedir em namoro uma garota era a mesma coisa que pedir a mão de uma mulher para se casar. Meu colega de escola, Huelington, me disse que se a gente queimasse pena de anum-preto e jogasse as cinzas no lugar onde elas fizerem xixi, elas davam para a gente. Planejei por alguns dias fazer tal mandinga, cheguei a perseguir sua irmã uma vez que fomos passar um dia em seu sítio, mas pareceu difícil realizar a parte de jogar a pena queimada sobre o seu xixi. E desisti. Mas eu tinha medo e coragem ao mesmo tempo e naquela noite eu enfrentei.

Antes de chegar à casa da Heloisa, ouvindo cada vez mais alto o som de *jazz*, encontrando ainda soldados a caminho do Vietnã, olhei na janela da casa de dona Maroquinha, nossa costureira, chequei se Geísa, minha irmã, a mais velha e meio retardada, estava assistindo televisão na casa dela; ficavam as duas como se estivessem sozinhas, silenciosas, na companhia de dois grandalhões musculosos. Dona Maroquinha é sã, mas os dois filhos eram surdos. E estava tudo escuro e me toquei que já era muito tarde para estar fora de casa, papai dormia às 8 horas e queria que a gente dormisse nesse mesmo horário, mas hoje havia aberto uma exceção por conta do meu aniversário.

Encostei primeiro na janela da barbearia, um puxado ao lado da casa, de onde vinha o som de *jazz*, tão alto que abafava o som da TV na outra janela, onde era a casa do barbeiro e onde estaria Heloisa se eu tivesse sorte. Dentro da barbearia, seu Alfredo tocava com mais quatro músicos um delicioso *jazz* no estilo New Orleans, música americana que ninguém nunca imaginou ouvir neste fim de mundo. Tocava para a mulher dele, dona Maria Alice, que fingia ver televisão, mas na verdade estava sempre lendo um livro, de preferência grosso, e ouvindo a música. Seu Alfredo tocava sax ao lado de um músico baixinho, com barbicha, camisa desabotoada e chapéu de couro, que tocava bandolim de outro sujeito parecido com que tocava clarinete, de outro com um chapéu de couro igual aos dos vaqueiros, na cabeça que tocava trompete, de mais um sujeito, com jeito de sertanejo tocava um baixo em forma de tuba. Enfim, era um grupo de *jazz* completo mesmo, formado por músicos tocadores de forró; tocavam bem, de fazer inveja a Woody Allen. Quando terminasse o ensaio, os músicos iriam ganhar a vida tocando forró para os soldados no cabaré do Vietnã, onde o Geraldo estava se esbaldando com as raparigas.

Enfiei minha cara na janela e quase fiquei dentro da sala da Heloisa, sentindo as pancadas do meu coração batendo tão forte que pareciam dentro da minha cabeça. Dona Maria Alice, sentada no sofá diante da televisão, mas sem olhar para a televisão, segurava o cigarro entre os dedos perto do rosto para ficar sentindo o cheiro da fumaça. Fazia isso para continuar cheirando a fumaça do cigarro mesmo sem tragar, nunca a vi sem um cigarro. Sentava-se com as pernas cruzadas, mostrando uma fineza e uma educação que a minha família não tinha, era rústica e sem modos. Uma mulher caladona, caminhava ereta, não se apoiava nos quadris para andar como a maioria das mulheres daqui, as modelos de passarelas andam assim, além de ser a única pessoa que eu conhecia que lia livros que não fossem os da escola. Acho que ela nem sabia da minha existência direito, apesar de me conhecer desde pequeno, papai era amigo apenas do seu Alfredo, para dona Alice ele só dizia bom-dia, boa-noite.

De repente Heloisa surge exibindo os cabelos negros, vinda da cozinha, e senta-se no sofá pertinho da janela. Sem dar tempo de eu sumir, ela se vira e olha para mim. Abre um sorriso bem perto de mim. Eu fiquei tão surpreso que não reagi.

— Oi, Daniel. — Ouvir sua voz foi como transar com ela. O mundo sumiu com essas duas palavrinhas, não existia mais chão nem outra coisa. Aí ela falou de novo. — Parabéns! Feliz aniversário! — E eu continuei mudo.

De repente me senti à vontade com aquela intimidade dela, do jeito que olhou nos meus olhos, um jeito que era para eu sair correndo, suando minha camisona nova debaixo do braço; e me sentindo outro, tasquei uma conversa.

— Como cê sabe que é meu aniversário? — disse, todo feliz.

— Eu sei que é o seu aniversário por causa da sua irmã. Hoje é o aniversário dela. E se você é gêmeo dela, faz aniversário hoje também. Esqueceu?

— É mesmo! — Respondi, batendo a mão na cabeça. Ela riu.

— Eu tenho quinze. Mas faço dezesseis esse ano ainda — me disse, sorrindo.

— Eu estou fazendo dezesseis. — Me soltei mais.

— Não vi mais você na escola. — E de novo seu olhar entrava no meu e eu esfriava a espinha.

Fiquei sem saber o que dizer e ela me chamou para ver televisão com ela e eu respondi:

— Daqui tá bom de ver — me desculpei. Meus pés eram de chumbo e minha cabeça estava nas nuvens.

Heloisa afastou-se da janela e andou rumo à porta, para sair e ficar comigo, como eu já tinha pensado que um dia isso ia acontecer, sonhei com isso muitas vezes na escola, no meu quarto, pescando nos curtumes, mergulhando no cais, era eu estar sozinho e ela tomava conta de mim. Quando eu achava que daria o meu primeiro beijo na vida naquela menina desejada por um monte de garotos, mais assanhada do que eu, vi o mundo se acabar na minha frente e tudo ir para o inferno numa fração de segundo.

Uma sombra negra e sinistra surgiu da rua escura querendo me pegar. Naquele curto tempo enquanto Heloisa deixava a sala, um bicho sujo de barro e lama se aproximou furioso e atirou sobre mim os fios de borracha que tinha nas mãos. Não me acertou porque eu tenho esses pressentimentos de perigo como os animais da floresta têm, e pulei da calçada para a rua sob os olhos acesos da Heloisa me vendo correr pelas costas para não apanhar, não levar uma surra na frente dela.

— Tava no cabaré com aquele moleque? — Foi uma voz que já ouvi de longe.

Em profundo estado de choque, olhei uma vez para trás e Heloisa estava na porta me vendo correr e papai correndo atrás de mim. Foi como me sentenciar à morte. Foi tanta vergonha que preferia morrer a voltar a encontrar Heloisa. Se tivesse como, eu entraria na frente de um teste de tiro do exército, me jogaria de cima da torre da igreja, usaria o revólver do papai; pensei muita besteira até decidir que teria de fugir naquele momento mesmo. Se eu voltasse para casa provavelmente levaria uma surra. Não estava disposto a apanhar novamente.

Corri tanto que deixei papai para trás e entrei em casa na ponta dos pés para não acordar minhas irmãs; apanhei a minha malinha de Duratex com minhas coisas dentro e amarrei com tiras de câmera de ar na garupa de minha velha monareta, e me mandei com ela fazendo *flap*, *flap*, *flap*, querendo cair. Pedalei desembestado sem saber para onde ir. Já havia sonhado muito em fugir, eu sonhava com outro mundo que iria encontrar além daquelas montanhas azuis, e seria o mesmo que aparecia no cinema, mas não sabia onde ficavam aqueles lugares. Agora iria pegar um ônibus e sumir no mundo. Nunca mais voltaria. Encontrei a rodoviária no escuro. Nem ônibus estacionado existia. A lojinha e a lanchonete também estavam fechadas. Deixei minha bicicleta no chão com a mala ainda amarrada e descobri um vigia cochilando que se assustou quando eu me aproximei. Falei imediatamente.

— Queria uma passagem para ir para o Rio de Janeiro — disse afobado, olhando se papai aparecia.

O vigia de bigode fino, um típico agricultor que tenta se parecer com as pessoas da cidade, se levantou de repente da cadeira incomodado por ter sido acordado, deu alguns passos e ficou na calçada olhando para mim ao lado da bicicleta com a maleta na garupa, com cara de abestado como se eu não soubesse o que estava fazendo. Bocejou sua cara de chateado e coçou a cabeça, irritado, antes de me responder.

— Meu filho, o que faz aqui a esta hora? — Mas na hora de falar foi gentil.

— Queria comprar uma passagem para ir para o Rio de Janeiro — disse em voz baixa como se ali estivesse alguma criança dormindo que não pudesse ser acordada.

— Não tem passagem para vender a esta hora não. Volte amanhã, está tudo fechado. Eu só fico aqui de vigia, quando o dia amanhece eu vou pra casa drumir.

— Posso ficar esperando aqui? Precisava de um lugar para ficar até a hora de comprar a passagem — disse quase chorando e ele percebeu.

— Que foi, fugiu de casa?

Eu fiquei confuso, e finalmente caí na real. Desejei entrar em coma e só acordar quando tudo aquilo estivesse terminado, ou nunca acordar. O vigia percebeu a minha situação, qualquer um perceberia, e me aconselhou:

— Venha de dia, agora não tem jeito não. De dia tem passagem sim. — Depois de falar comigo se recompôs, acendeu um cigarro e deu uma baforada.

Foi o fim do fim. Um muro negro me cercou e me cobriu e eu me enterrei ali mesmo, em pé, sem ter aonde cair, sem ter para onde fugir. Não tinha força e coragem de simplesmente pedalar dali para qualquer rumo, porque não existiam rumos. Eu não sabia como sobreviver noutro lugar, não sabia pegar a saída para o Estreito ou para o Riachão. Planejei inclusive viver trabalhando como ajudante em oficina mecânica para aprender alguma coisa que desse dinheiro, mas eu não achei um impulso. Poderia juntar mais dinheiro e comprar a passagem noutro dia.

Na pracinha, larguei a bicicleta de qualquer jeito e me joguei quase deitado na calçada onde todo mundo namorava menos eu, soluçando e chorando compulsivamente, naquela hora sem pessoas vivas em volta, tudo dormindo. Comecei a chorar alto, o choro ecoou pela rua, mas tudo estava vazio e quieto, desde que os comunistas viraram guerrilheiros tudo virou deserto à noite.

Chorei até não ter ar nos pulmões e lágrimas para escorrer e ninguém apareceu para saber quem urrava tanto daquele jeito. Não sei como alguém podia escorrer tantas lágrimas como eu naquela noite. Demorei a recuperar meus controles.

Os açougueiros passaram levando carne para o mercado, o bicho morto escarneado na carroceria da velha picape Rural com as molas arreadas, escorrendo sangue nas rodas e deixando um rastro de carne fresca; só então percebi que fiquei quase a noite toda largado na pracinha, o dia amanhecia e eu precisava voltar.

Os aviões negros apareceram no céu cobrindo tudo. Uma grande quantidade de aviões silenciosos, centenas deles, escuros como se fossem feitos de ferro enferrujado, sem asas, como um grande tronco grosso, voando lentamente rumo à batalha final, todos voando numa mesma velocidade e mesma direção. Estavam carregados de armas nucleares penduradas, prontas para serem jogadas sobre a terra. O céu ficou escuro como a noite. Começaram as explosões e o céu ficou vermelho. Os aviões guerreavam entre si e o mundo virou uma grande bola de fogo. Senti o rosto queimando e gritei alucinadamente.

Acordei com os olhos arregalados, tremendo todo e com o coração na garganta, me acalmando apenas quando tive certeza de que estava na minha cama, dentro do meu quarto, com todos os meus pôsteres na parede.

O ABRIGO NUCLEAR E O LUGAR DE PESCAR

— Vocês ainda vão me agradecer pelo que estou fazendo — disse papai já fora do seu buraco quente, querendo manipular a gente com a mesma conversa de sempre.

Nunca nos acostumamos com aquela ideia de abrigo para nos proteger de um bombardeio russo em caso de uma guerra nuclear.

Papai era um sujeito forte, o sangue subia à flor da pele ao ficar nervoso parecendo dobrar o seu tamanho. Sempre mexeu com coisas pesadas, ferro, garimpo, sozinho conseguia amarrar um garrote no tronco para capar, essas coisas que homens grosseiros precisam fazer; era valente, mas só na boca, jurava que mataria uma pessoa mas nunca o fez. Vivia em regra dura, mas não tinha religião. Todos tinham de seguir os seus hábitos e caprichos, tudo tinha de ser como ele queria. Só muito tarde descobri por que papai não gostava de ir a churrascos, e só comia as partes moles do frango, uma asa, ou um picadinho que a Geísa fazia todos os dias. Tinha um regime de ferro, como prova de que mantinha a vida com regra, sem variar o seu gosto, do tipo de camisa ao prato que comia, nunca mudava. Na verdade, ele não comia carne porque usava dentadura em cima e embaixo, e não tinha como mastigar alimentos duros. Mas isso ele nunca disse e ninguém desconfiava.

Era sábado, não precisava ir à oficina nem para a escola, então ouvi papai falando com as meninas, de dentro da penumbra do meu quarto, a janela fechada, sem o calor do dia correndo lá fora, onde papai deixou o buraco debaixo com a lata de terra na mão. Jogou ao lado do tanque onde Aline tomava banho usando uma camiseta, ela já tinha feito treze anos e tomava banho assim, como a Isabel e a Geísa. Não temos banheiro. Nosso banheiro era ao lado do tanque de lavar roupa, debaixo de chuveiro improvisado num cano de plástico branco. Ele despejou o balde em cima do monte de lama. A água do tanque encharcava o monte de terra.

Papai pressentiu algo e olhou para o céu à procura de alguma ameaça, era do céu que cairiam as bombas em meus pesadelos. Geísa também pressentiu alguma coisa. Eu olhei de volta para dentro do quarto, curioso para saber para quem era aquela cama de campanha armada ao lado da minha. Ontem à noite quando eu tinha saído não existia aquela cama, e hoje de manhã ela estava lá. Não estava esperando ninguém para dormir no meu quarto. Nem queria alguém para atrapalhar meu plano de fugir de ônibus.

Geísa mexia nas panelas, Aline não parava de se ensaboar, Isabel lia uma revista emprestada pela Heloisa e papai ficou com os pés dentro da lama no monte de terra ao lado do tanque quando o chão começou a tremer. Geísa na cozinha, que liga o quintal com uma meia-parede, parou de fazer o que estava fazendo. Era meio tonta, mas divertida. Tinha uns quilinhos a mais, já tinha mais de vinte anos, ficou um pouco retardada, mas muito pouco mesmo, por causa de complicações no parto. Ela demorou a nascer porque a parteira não conseguiu virá-la dentro da barriga da mamãe, e a falta de oxigênio acabou causando essa pequena complicação que a fez largar a escola ainda no primário. Não se preocupava em ter uma vida pessoal, em namorar, apesar de brincar que só se casaria com o Francisco Cuoco.

— Tão ouvindo? — disse Geísa, esticando o ouvido para o céu.

Papai era meio bronco, olhou para o céu e pareceu sentir uma ameaça. Eu vi aquilo e me arrepiei. Parecia que alguma coisa ruim estava para acontecer. Papai sumiu rapidamente para dentro do seu buraco com medo.

Ele sabia o que estava para acontecer e que os soldados estavam ali combatendo um inimigo maior. Ele sabia o que era Guerra Fria e os efeitos de uma guerra nuclear mesmo sendo um sujeito meio bronco, mas acreditava que no fundo da pedra que ele tentava quebrar debaixo do meu quarto podia ter diamantes. Para ele os comunistas eram como bestas-feras, como a maioria das pessoas também achava, antes eram bons quando não se sabia que eram guerrilheiros comunistas e viviam entre a gente como normais, dando aula, com comércio; depois viraram vilões, quando o exército veio atrás deles. Papai, como muita gente, argumentava à sua maneira que a guerra contra os guerrilheiros estava chamando a atenção dos russos, que podiam apoiar os nossos comunistas, e assim acabaríamos virando alvo da ira da União Soviética por estarmos lutando contra os comunistas que eles apoiavam. Ele sabia, como todo mundo, que se estourasse uma terceira guerra mundial com armas nucleares, nós também seríamos alvo de um daqueles imensos mísseis. Dentro do túnel mal iluminado por uma lâmpada fraca, cheio de tábuas segurando o teto e as paredes, ele tinha um radinho de pilha poderoso. A sua antena estava ligada ao arame de pendurar roupa, o arame tinha virado uma poderosa antena e ele ouvia os noticiários em ondas curtas da rádio Nacional, de Brasília, e da BBC, de Londres, falada em português. As rádios do interior daquela época tinham alcances continentais. Para terminar logo o túnel, estava trabalhando inclusive durante o dia, quando o calor era muito grande, precisava terminar antes de os russos chegarem.

O chão tremeu. As telhas velhas soltaram um pouco de poeira. Parecia um terremoto vindo do céu. Me preparei para o pior. Uma parte real dos meus pesadelos estava novamente para acontecer. Geísa gritou. Papai parou de bater a picareta e saiu rapidamente de dentro do buraco. O barulho aumentou assim como o tremor no chão, de repente, o céu foi encoberto por uma espaçonave gigante que vinha se aproximando. Geísa largou as coisas da cozinha novamente e saiu para o quintal olhando para o céu, com um pano na cabeça para segurar o cabelo rebelde e uma colher de pau na mão para acertar a nave ameaçadora.

O terremoto, acompanhado de um som de trovão, aumentou de intensidade. O mundo parecia desabar e Geísa se abaixou e pegou uma pedra perto do papai, e ele voltou assustado para dentro do buraco. Aline fechou o chuveiro e se cobriu com uma toalha. De repente, um som ensurdecedor encobriu o céu e passou sobre nossas cabeças em grande velocidade. Geísa tacou sua pedra para o alto mirando acertar o imenso avião que passou baixinho por cima de nosso quintal, um imenso Hércules, besta voadora gigantesca com suas hélices silenciosas e sua barrigona cheia de armas, soldados e tanques. O avião passou quase rente aos olhos dos coqueiros do nosso quintal, a gente sentiu o vento frio vindo daquelas naves negras chegando até a gente, para descer no aeroporto que ficava no fim da rua, longe dali, mas nossa casa passava bem na linha de pouso deles.

— Desconjuro coisa do demo! — resmunga minha irmã.

Ouvimos o som da pedra caindo nas folhas de um pé de mamão no fundo do quintal. E depois só o silêncio mortal que ficou depois da tempestade.

***

Na manhã seguinte, matei aula e fui direto para a oficina. Comecei a fazer o que papai queria que eu fizesse antes de ele aparecer e pedir já brigando para eu fazer. Assim poderia passar mais um dia sem apanhar, um dia a mais antes de encontrar tempo para bolar um bom plano de fuga. Pensava mil maneiras e nenhuma era boa. Eu assoprava as brasas do forno, que para piorar as coisas ficava no fundo da oficina, uma garagem fechada e sem janelas, só um portão velho na frente, e o ar voltava como labareda de fogo queimando meu rosto. Era obrigação minha acender o forno e deixar o carvão em brasas, quando ele chegasse precisava encontrar aquele forno quente para deixar os vergalhões de ferro em brasa para ele logo ir trabalhando nas cadeiras. Eu passei a mão suja de carvão sem querer no meu rosto e comecei a ganhar outra aparência, manchado de preto e grudento, ficando da mesma cor daquelas paredes do inferno até que senti falta de ar, uma tontura rápida e quase fui ao chão.

Com risco de perder a consciência respirando aquela bolha de carbono, fui cambaleando buscar ar puro e botar duas cadeiras na entrada do portão para fazer propaganda para as pessoas verem e comprarem, quando passam na rua, na frente da oficina, um garoto cabeludo correndo numa motinha cinquenta cilindradas, era a novidade e a moda que eu sonhava um dia ter e pertencer ao mundo daquele garoto riquinho, que olhou para mim como se tivesse visto um bicho que não tinha nem em zoológico. Recuei a tempo de não ter de passar pelo vexame de ser visto pelas duas garotas assanhadas que vinham pedalando em suas bicicletas logo atrás dele, e quase morri de vergonha assim mesmo, só de eu mesmo me ver. Pior eram as provocações do Pau de Rato, um moleque cabeludo da minha idade, filho de papai, que só andava em bando, dirigia até os carrões do seu pai, tirava uma com a minha cara na escola e eu nem levantava a cabeça para saber se ele ria de mim mesmo.

Papai entrou na oficina me espantando.

— Amanhã vamos cortar este cabelo. Quer se parecer com os vagabundos? — disse, olhando para o meu cabelo e evitando olhar nos meus olhos aborrecidos e marejados.

No fundo eu sabia que nunca seria como aqueles cabeludinhos. Era para eu me conformar.

— Égua! Esqueci as soldas lá no armazém. Tão comprada e embrulhada. Termina aí e vai lá buscar. Tá me ouvindo?

Balancei a cabeça atencioso.

— Eu preciso delas para terminar a encomenda.

Eu respirei aliviado ao deixar a oficina, que me esqueci de me limpar, o rosto preto de menino de rua, e encontrei o Geraldo indo para o rio, sem a farda, parecia o Geraldo de antes, quando a gente descia para pular no rio de cima do cais, e parei sem perceber o meu estado.

— Hoje estou de folga. Tou indo banhar no rio. Vamos ver quem chega primeiro? — me desafiou e eu me animei, mas em seguida já murchei de novo.

— Não posso, tenho de pegar uma encomenda.

Ele insistiu.

— A gente vai rápido, e depois você voa nessa bicicletinha aí e ele nem percebe nada.

Não custava nada tirar a sujeira e refrescar o calor, dava tempo de fazer tudo e voltar. Em vez de ir pegar as soldas no armazém fui fazer o que eu mais gostava, de todos os meus entretenimentos, depois do cinema, era pular no rio dali de cima. Eu ali era outro. Pulava e voava no vento por um tempo e tchibum na água deliciosa. Saía da água, subia o cais e pulava novamente da altura de uns dez metros, fazia isso mil vezes e não me cansava e nunca um pulo era igual a outro. Cada salto tinha sua própria emoção. Qualquer pessoa que vivesse pulando daquele jeito viveria feliz. Não vi o tempo gastado.

— As soldas! — Dei com a mão na cabeça na água refrescante no fundo do rio.

Desesperado com a possibilidade de apanhar, virei um foguete subindo a ladeira do cais, como se a minha monareta fosse aquele jipe militar do exército de vigia o dia inteiro com sua metralhadora ponto cinquenta, e encontrei o armazém onde iria pegar as soldas fechado para o almoço. Enquanto esperava o armazém abrir, o vendedor era o Gerson, um cabeludo guitarrista da banda Big Brasa, a banda que animava os bailes da cidade, comecei a sentir a surra que eu iria levar por não ter entregado as soldas na hora em que ele pediu. Uma surra maior, provavelmente, por causa do agravante de ter ido tomar banho de rio na hora em que deveria estar trabalhando. Deixei me levar pela minha cabeça de vento, que esquecia tudo que era de bom e de ruim muito rápido. Se eu não fosse cabeça de vento eu não apanharia tanto. Pensei em bolar um plano de fuga rapidamente, e não precisaria voltar, mas não daria tempo, ou poderia inventar uma mentira, que o pneu da bicicleta furou, alguma coisa eu teria de inventar.

Comecei a me preparar para a surra, achando que se a sentisse antes, se me antecipasse, eu não sentiria tanto na hora, caso a surra fosse longa. Eu apanhava por tudo. Geralmente eu apanhava por essas bobeiras que eu dava e também porque eu ficava reprovado na escola. Por causa dessas surras e dessa angústia eu não estudava, e apanhava porque não estudava, e por causa disso tudo eu repetia o ano, e apanhei por isso também quando fiquei reprovado na quinta série. E o ciclo, uma coisa ruim acontecendo por causa de outra coisa ruim, se repetia. Restava então uma única opção, fugir de casa. O Gerson passou a mão na minha cabeça depois de me dar as soldas sem entender o porquê de tanta tristeza e preocupação. Saí voando dali pensando que depois dessa era melhor logo encontrar uma cidade próxima onde pudesse fugir de ônibus, o único jeito de entrar e sair da cidade, não havia mais barcos no rio fazendo o transporte de gente, eu poderia trabalhar em troca de comida e um lugar para dormir.

Quando os pneus da monareta entraram na oficina recebi uma chicotada de surpresa nas costelas e senti um pedaço de mim sendo tirado. Doía, ardia e queimava. Soltei um grito e caí de um lado e a minha bicicleta do outro.

— Imprestável. Cabeça de vento. — A voz veio acompanhada da sombra e eu não tive tempo de me salvar.

Vieram mais duas lapadas e pedi a Deus, faria qualquer coisa, para aquilo parar, mas não parava. Antes da terceira lapada, quando começava a fase tortura e a gente pede logo para ser morto, eu escapuli, me levantei carregando a *bike*.

Fui para onde sempre ia nessas horas; a beira do rio. Eu pescava como caçava passarinhos, se faz melhor quando se faz sozinho. O rio era o único lugar meu de verdade, eu podia pescar e nadar, as minhas diversões de infância. Eu tinha um canto onde era bom para pescar, na parte abaixo do rio, onde havia cortiços no passado, ainda guardava na memória o fedor do couro tratado nos tanques, um lugar cheio de pedras em formas de lajeiros, como uma praia de pedra ruim de caminhar em cima, onde eu me sentei com os pés na água pensando em cair ali e descer até o fundo, num fundo tão fundo que eu não conseguisse mais voltar.

Entrei na água e me distraí com pequenos peixes atraídos pelo cheiro do sangue fresco manchando a água e ardendo minhas costelas, tive vontade de pescá-los. Tirei o pensamento da raiva. A tristeza era tanta que sem encher os pulmões de ar eu mergulhei naquela água corrente empurrando os pés para o meio do rio, um lugar mais fundo, com o propósito de nunca mais voltar à superfície, tudo ficou muito escuro e a água gelada. Comecei a sentir ansiedade e desesperadamente nadei rumo à superfície pronto para explodir em busca de ar.

Nadei de volta à margem muito abaixo de onde eu tinha mergulhado e aproximei meus apurados sentidos para as coisas pequenas para bem perto dos lajeiros, onde a água batia dentro das locas formadas pela erosão. O banzeiro da água fazia pequenas marolas com as águas lambendo as locas e fazendo um barulho abafado. Essas pequenas ondas da água batendo na pedra viraram ondas gigantes. O som também foi ampliado, virou o som de um tsunami. Pequenas plantas de musgo, uma floresta do tamanho de uma tampa de garrafa se tornou palmeiras gigantescas e moscas-d'água viraram animais do tamanho de elefantes. Eu percebia esse mundo minúsculo, feito das coisas quase invisíveis. Me sentia do tamanho de uma formiga, de fato eu era daquele tamanho.

Naquele dia eu desejei que uma bomba atômica explodisse e destruísse o mundo. Destruísse as cidades, os rios, as pessoas, tudo. Se antes eu temia o fim do mundo, agora eu queria que ele chegasse logo. Se esse mundo acabasse quem sabe nascesse outro mundo diferente. Eu pensava que a gente podia remontar esse novo mundo de outro jeito; no mundo novo os pais não poderiam mais bater nos filhos; as mães não deveriam morrer nunca; os rios não poderiam mais ser recortados com hidrelétricas para não atrapalhar a vida no reino dos peixes; as garotas que a gente ama também deveriam se apaixonar pela gente; não haveria mais deuses, assim não haveria mais penitências, mortes nem pesadelos, nem guerra. Ia me esquecendo. No mundo novo pós-destruição nós também iríamos poder voar como as andorinhas, e nadar no fundo do rio e do mar como peixe.

ONDE FICA O PINDARÉ?

Fica pra lá onde qualquer coisa que tinha nome deixa de existir. O inominável aqui a gente chama de sertão. Depois do Pindaré só existia o desabitado sertão rumo à Bahia e a Minas Gerais, onde viviam os descendentes de escravos escondidos nos vãos, as áreas de matas que ficavam entre as serras, onde um sujeito podia andar quinze léguas sem topar um morador, como era o sertão mineiro de Guimarães, foi onde nós fomos viver. Tão longe de tudo que nem os índios arredios quiseram ficar. Lá onde a Terra acaba, existia um lugar chamado Pindaré. Papai nascido e criado na cidade, nessa ida em busca de ouro, como os bandeirantes, garimpando nas grotas, conheceu por lá uma morena chamada Eliete, na antiga e tradicional fazenda Capitão do Campo, às margens do Rio Vermelho, do meu avô Nonato, um bruto fazedor de filhos. Fazenda sem cercas nos limites, com muito gado, engenho de rapadura e cachaça, forno de fazer farinha e muita fartura no quintal, onde mamãe nasceu, cresceu e depois quando adoeceu de cama morreu.

Nos seus trinta anos e sem eira nem beira com a vida, papai resolveu buscar fortuna rápida garimpando nas inexploradas terras indígenas dos Krahô, tão ermas que os índios que viviam lá demoraram a ser descobertos. Uma área desabitada e dominada pelas onças-pintadas, um deserto de almas viventes.

Mas mesmo tão distantes, eram terras pertencentes de boca ao meu avô, e tinha até um nome, Pindaré. Não tinha papel. Era o senhor mais rico naquela imensa região inóspita, maior que a França, comandada por pais de famílias que ditavam as regras e as leis que todos seguiam. Leis e regras que papai nunca quis para si, e mais tarde criou as suas próprias. Papai foi viver no Pindaré porque meu avô lhe deu a mão de minha mãe com a condição implícita de que fosse habitar uma posse que ficava a uns trinta quilômetros de distância do Capitão do Campo, e ele topou. Papai caiu por causa da cintura fina da mamãe, e pela fortuna e a fama de meu avô, e suas quatrocentas cabeças de gado cruzado, coraleiro com nelore. Era maior que o gado crescido na chapada, tinha cupim, e dava mais leite. Meu avô precisava de um homem naquela região porque seus outros filhos mais velhos tinham saído da lida com a roça e o gado e foram trabalhar como pedreiros na construção de Brasília.

Eu vivi minha infância em uma casa no meio do nada, onde outra casa com outra família mais próxima ficava distante um dia de caminhada, para chegar à corrutela mais próxima, o Piacá, nos confins da Serra Geral, precisava sair de madrugada. Onde papai nos criou até eu completar dez anos. Mamãe nunca quis outra vida diferente da que teve nem deixar aquele lugar condenado a nunca mudar, aonde o progresso nunca chegaria. O nome do lugar vinha da grota chamada de Pindaré, onde cresci tomando banho. Passava em frente de casa, onde eu e minhas irmãs nos misturávamos na hora do banho com os filhotes de sucuri. Éramos acostumados àquelas pequenas cobras listradas se enrolando em nossas pernas. A gente apenas chutava as cobrinhas, mas não deixava nossa água, nosso parque de diversão, não tínhamos medo de bicho algum. O Pindaré era um lugar de uma via só. Por onde se entrava se saía. Somente alguém muito perdido podia passar por nossa casa. E como ninguém nunca se perdeu naquelas bandas, ficamos um bom tempo sem saber como eram as outras pessoas. Meus tios, quando nos visitavam, eram o melhor momento de nossas vidas, podíamos brincar com alguém que não mandava na gente.

Mamãe gostava daquele silêncio esquentado de sol ardido das oito às cinco como se fosse o tempo todo meio-dia, era uma pessoa fechada, mas muito boa comigo, dava mais atenção a mim do que às meninas. Não gostava de cantar, não era triste nem alegre, sabia costurar e bordar, nossa casa era bem cuidada e nossas roupas novas cortadas e costuradas por ela mesma. Era fria com o futuro, nunca a ouvi falar de algum plano para o amanhã. Era morena, puxava na cor da pele, nos lábios roxos e nos cabelos de índia da minha avó. Papai era mais sonhador, mas não tinha com quem sonhar. Nossa rotina só alterava quando papai voltava para casa com uma caça diferente, um pato, um jacu, uma cotia. Eu sonhava um dia ser caçador como ele. Ele reclamava dos cigarros de palha com fumo de corda que mamãe fumava escondida. Eu sentia nela o mesmo cheiro dos negros que vinham de um quilombo distante chamado Vão da Talaia, quando ia ajudar papai na colheita, ela me abraçava ou me dava aulas, para mim e para Isabel, tinha desistido da Geísa, e Aline ainda era muito novinha. O cheiro era da palha de milho com o sarro do fumo, porque ela fumava o mesmo fumo e do mesmo jeito que eles.

Papai, que era daqui, da margem do Tocantins, não ficava sem beber à noite sua juçara que ele plantou nas margens do Pindaré, adoçada com rapadura; juçara é típica da Amazônia, e rapadura é o açúcar do sertão. Voltou a viver na cidade onde nasceu e cresceu logo quando mamãe morreu de impaludismo, e ficamos perdidos naquele mundo sem eira e sem mãe. Sem uma profissão, papai, que era grosseirão, vivia de peito nu e suado, foi um sujeito que sempre viveu da força física, voltou para a civilização mais bruto. Montou uma oficina para fazer portões de ferro e toldos para motor, sabia soldar o zinco, e ele nunca mais olhou para outra mulher, a imagem da sertaneja de corpo seguro, ancas firmes, que não gostava da cidade, nunca saiu da sua cabeça. Ele não era bicho do mato como a minha mãe. Foi ficando assim.

O BARBEIRO PROIBIDO DE TOCAR *JAZZ*

Eu segurava uma lágrima porque não podia chorar, mas se pudesse desatava, era uma sacanagem fazer aquilo, me obrigar a deixar seu Alfredo cortar meus cabelos rentes como os cortes dos recrutas, como se cortava nos anos cinquenta. Escondendo o braço ferido com uma camisa velha de manga comprida para Heloisa não ver caso ela surgisse da sala onde deveria estar com sua mãe, eu sentia cheiro de cigarro vindo da sala de estar de sua casa, transformando aquele momento em um pesadelo precisando ter fim.

— O abrigo não está pronto, compadre? — Me assusto com a voz alta do seu Alfredo atrás de mim ao pé do meu ouvido, um sujeito de voz grave e gestos elegantes.

Papai, para quem ele dirigia a palavra, inquieto de braços cruzados como se quisesse logo ir embora, respondeu "Terminei nada", com sua costumeira voz rouca. Essa voz o fazia parecer mais chucro. Nunca fumou e falava assim por causa da inalação ao longo dos anos da fumaça do carvão que era queimado no forno que eu acendia todo dia de manhã. Ficarei com a mesma voz podre se não conseguir fugir antes. E serei ferreiro como ele é.

— Topei com uma pedra, pedra grande, das que eu encontrei no garimpo, e a obra não anda. — Falava da maldita pedra dentro do seu túnel como se fosse uma criação sua, um cachorro ou um cavalo. E parecia ter orgulho disso. Seu objetivo na vida. Essa é a sua melhor descrição.

Eu observava a barbearia inteira refletida no espelho cor de âmbar, como se estivéssemos em um tempo mais velho, um clima barroco que nenhuma outra casa que eu conhecia tinha; um pôster de uma mulher bonita, loira como a do pôster do meu quarto na praia de Copacabana, mais bonita que as guerrilheiras que o Geraldo vai matar, na verdade uma foto grande em preto e branco da Jacqueline du Pré, uma violoncelista francesa de longos cabelos loiros, abraçada ao seu violoncelo entre as pernas. Embaixo do pôster, uma vitrola velha onde também havia discos com ela e outros músicos nas capas. Os instrumentos da sua banda de *jazz* eram bem organizados em seus cantos, o banjo, o clarinete, o sax, a bateria, símbolos de uma vida culta que só ele naquele fim de mundo sabia ter.

— Você tá dizendo que pode ter uma mina de ouro debaixo da sua casa? — disse seu Alfredo em voz alta e tornei a me assustar.

— Ouro eu não sei. Mas diamante é na certa — dizia papai sem olhar para seu Alfredo. Tinha orgulho e vergonha de sua condição, não queria ser ferreiro a vida inteira.

Qualquer um mangaria do papai. Mas seu Alfredo não, ele era um sujeito especial, não havia na cidade ninguém como ele. Não tratava papai como um tolo. Não ironizava o fato de construir um abrigo antibombas aéreas em pleno sertão amazônico, longe de qualquer alvo dos norte-americanos ou russos. Mesmo sabendo que papai acreditava que realmente atrairíamos uma guerra atômica para as margens deste rio, ele nunca o desdenhou. Até apoiou.

Em vez de confiar nele, pensei naquele momento que poderia roubar a barbearia e pagar uma pessoa para me levar para bem longe, mas a ideia não vingou porque eu não tinha ânimo para virar um marginal, meu mundo de todos os desejos ainda era todo feito de pensamento. Não confiava nem em Isabel, a minha gêmea cópia de mim. Mas precisava ter coragem de roubar. Porque eu poderia precisar. Pensei também em me esconder dentro de um avião à noite e depois que estivesse lá dentro ninguém me traria mais de volta, mas não seria fácil enganar o exército e aqueles soldados todos com suas metralhadoras.

Alfredo parecia não ter problemas na vida. Nunca estava desgostoso, era positivo, mas não alegre, veio de família dona de terras e de criadores de gado e teve uma vida diferente desde que nasceu, teve condições antes da decadência do lugar, que já teve seu período iluminista com colégios famosos em todo o norte, de estudar fora o segundo grau. Aprendeu a tocar vários instrumentos, mas nunca foi músico. Ele tinha um ar imperioso diante das coisas ruins, não reclamava da vida como as pessoas normais, nem fofocava, sua mulher não falava mal das outras. Ele dizia às pessoas que a música lhe dava esse dom de ser alguém acima do mundo ordinário e meu pai não entendia. Acho que nem ele nem ninguém. Às vezes se exaltava como se tivesse bebido e ele não bebia. Papai, ao contrário, não estudou e nunca teve sorte, também não bebia, e nunca teve lampejos de alegria e de bondade comigo, filho era para ser escravo do trabalho dos pais como meu avô Nonato fazia com seus filhos na roça e na labuta com gado.

O frio da colônia era o sinal de que minha tortura acabou. Me olhei no espelho e me deu vontade de chorar, minha cabeça raspada deixava minhas orelhas parecerem maiores, quis fugir dali rapidamente e encontrar um lugar para me esconder antes de Heloisa aparecer.

— Não era um abrigo que o compadre estava construindo? — Perguntou seu Alfredo.

E papai respondeu contrariado:

— Era. E ainda é. Não se pode confiar nos russos. Nem nesses comunistas.

Seu Alfredo balançou a cabeça desacorçoado enquanto eu descia da cadeira com vergonha e a cabeça abaixada.

— Não pode deixar de estudar não. Sem estudo, sem futuro. — Foi como se não falasse comigo.

— Ele não quer estudar, por isso tô pensando em tirar ele da escola — disse papai se sentindo sem graça.

A primeira lembrança que tenho da barbearia e de seu Alfredo eu tinha uns seis anos. Eu estudava no Pindaré o á-bê-cê e a cartilha, mais do que isso mamãe não sabia nos ensinar. A primeira vez que li uma palavra na vida foi a placa de sua barbearia. Recordo da sua cara rindo, seu nariz comprido e os suspensórios segurando as calças no lugar do cinto, dizendo para mim que eu era muito inteligente e que eu precisava vir para a cidade para estudar. Mesmo assim ainda tinha vergonha dele. Quando a gente voltava para o Pindaré mamãe dizia para os nossos parentes analfabetos que eu era inteligente, já sabia ler os letreiros das lojas. Descobria os sentidos das palavras, da escrita e de suas significações, como aprendeu Kaspar Hauser através da imagem de um cavalo. Quando eu vivia no Pindaré, para mim uma bomba era a bomba que usávamos para tirar a água do pote e pôr no copo para bebermos. Era uma concha com um cabo comprido que ficava pendurada com os copos em cima dos potes. Mas no rádio tocava uma música que falava de uma bomba que estourou, e a explosão da bomba não fazia sentido. Até aparecerem os soldados atrás dos comunistas não se sabia nada sobre bomba atômica, somente agora eu sabia os dois significados. Era a bomba atômica que iria acabar com o mundo.

Um tenente do exército entrou na barbearia quando seu Alfredo fazia os últimos retoques no cabelo do papai, que nem cabelo tinha para cortar, tanto ele como eu aparávamos apenas os tocos, e assustou todo mundo, eu porque achei que ele adivinhou que eu estava pensando em sequestrar um avião para fugir dali, papai se assustou porque nós viramos alvo dos russos por causa da guerra do exército, e seu Alfredo eu só soube muito depois porque não gostava de militares, tinha consciência política e não era alienado.

— Senhor Alfredo?

— Sim, pois não — respondeu educadamente. — Estou à vossa disposição.

Seu Alfredo nervoso virou as costas para o papai para atender aquele senhor no meio da sala, duro como um poste, engomado e sem armas como os soldados.

— O senhor sabe muito bem que nossa situação hoje está muito tensa, os soldados precisam de distração, o senhor entende, não é mesmo? — Este foi o nível da conversa meio esquisita.

Seu Alfredo balançou a cabeça e falou que entendia. Mas aí ele demonstrou por que tinha aquela pose toda quando pediu ao seu Alfredo para tocar na apresentação no quartel apenas músicas brasileiras, que ele não deveria tocar música estrangeira. Seu Alfredo endureceu as feições e o tenente notou a contrariedade dele, mas não se fez de rogado, botou o quepe na cabeça, disse que lhe avisaria o dia que deveriam ir ao quartel, usando uma frieza simpática, se é que isso é possível, deu uma volta em torno de si, pegou a saída da rua e sumiu. Não entendi como aquele militar tinha contrariado tanto o seu Alfredo.

— Ele não veio aqui me convidar para apresentação coisa nenhuma, ele veio para me proibir de tocar — disse para si refletido no espelho.

Na verdade ele tinha sido proibido de tocar música internacional de um jeito muito injusto, os militares estavam no comando político do país e mandavam em tudo, até no seu

Alfredo. Proibiam de tocar o seu *jazz*. Nesse meio de mundo a que ninguém dá importância, ocorria o mesmo terror que existia nos grandes centros urbanos. Vivíamos uma censura brava sobre políticos, escritores e artistas, estávamos sob o AI-5, instrumento que a ditadura usava para censurar músicas, filmes, livros e até mesmo o ato de pensar. Estávamos no ano em que o Brasil comprou os primeiros aviões de caça supersônicos, os franceses Mirage, e com eles o país começou a adotar uma nova mentalidade de superioridade aérea. Compraram os aviões da França porque os Estados Unidos estavam se negando a tornar o Brasil dotado de uma força aérea de primeiro mundo na América do Sul. Os supersônicos aviões franceses, que armaram os ditadores brasileiros, vieram parar aqui por vingança.

Seu Alfredo parecia que tinha chumbo nas mãos quando pegou o saxofone pendurado ao lado do pôster de Jacqueline du Pré, uma violoncelista também impedida de tocar, uma virtuosa, morta jovem vítima de esclerose múltipla, no auge de sua carreira, aos vinte e sete anos, ela perdeu as forças nos braços e não pôde mais tocar seu violoncelo. Viveu ainda um bom tempo se desfalecendo devagar, na tortura da espera final, como eu, nos pesadelos e nas surras na vida real.

Sem arrumar seus suspensórios como de hábito fazia, nem passar as costas da mão na boca, seu Alfredo levou o sax à boca, fechou os olhos, respirou fundo, encheu os pulmões, e eu respirei fundo também, me preparei para soprar forte junto com ele. Mas quando ele soprou, puf, saiu uma música baixa da boca do sax, um *blues* suave, e eu esperava um som forte, esturrando como um berrante, como se dentro dos seus pulmões tivesse a mesma ira minha e que essa bolha que tinha dentro da gente pudesse ser vomitada com o sopro da música.

O CARIOCA FLAMENGUISTA

A sonsa da Aline sentada na frente ao lado do padre nem tinha noção para onde estávamos indo. Eu e Isabel sentimos os trancos do banco de ferro da parte de trás do jipe, igual ao dos militares, a diferença era a cor, bege, de frente um para o outro. Uma aventura. Como se o jipe tivesse apenas uma marcha, frei Aquiles do nariz vermelho como um peru, do jeito que desceu a extensa rua que ligava a cidade ao aeroporto, margeada por quintas e com um capão de mato por onde corria o riacho das lavadeiras, se enfiou dentro do aeroporto na mesma velocidade em que vinha, passou sem parar no meio dos sentinelas armados com metralhadoras carregadas que vigiavam a entrada do aeroporto como se ele fosse o papa. Outro parava na hora. Estávamos em guerra. O exército dizia que não, mas todo mundo sabia o que estava acontecendo, a tortura era pública. Menos eu. Mesmo não sabendo o que era o certo e o errado eu não iria me arriscar entrando daquele jeito, mas como ele era padre, podia. Padre que ajudava os guerrilheiros também apanhava e morria. Eu pensava nos aviões enquanto minhas irmãs estavam excitadas, afobadas com o garoto que estava chegando.

Frei Aquiles estacionou de qualquer jeito o jipe perto de uma longa pista asfaltada, ao lado de barracas de lona, onde dormiam os soldados. Havia uma fileira de casas padronizadas agora ocupadas pelos militares de patentes e civis que trabalhavam no aeroporto, casas bonitas, com jardim na frente e alpendre para se sentar antes da chegada da televisão que dava de frente para um capão de mato onde corria um riacho fora das dependências do aeroporto, onde as lavadeiras tiravam a sujeira dos ricos usando o lajeiro do riacho para economizar sabão. O resto, o lado que ninguém via, que ficava no fundo das casas, era um campo de terror. Um desses aviões gigantes parecido com os dos meus pesadelos do fim do mundo, os mesmos que sobrevoavam nossa casa, estava ali na minha frente.

O imenso Hércules, tão grande que servia para transportar tanques, tropas e jipes, estava rodeado de soldados como se fosse uma fruta madura na boca de um formigueiro, ao seu lado um helicóptero, o sapão, o nome que dávamos aos helicópteros, estava sendo lavado por aqueles homens robôs, para mim não eram pessoas. Soldados, mesmo de *shorts*, circulavam com armas na cintura, e jipes e tanques estavam cobertos com uma rede verde para camuflar aos olhos dos guerrilheiros. Grudei os olhos naquela coisa gigante e não pisquei mais, contra a minha vontade, com medo de piorar os meus pesadelos. O bicho tinha olhos, bocas e dentes, além da bunda que dava para ver que dentro era tudo escuro e sendo atraído para sua barriga.

Eu não vivia a grande expectativa das meninas, porque na verdade a gente nem conhecia nada desse garoto, apenas que se chamava Victor, não tínhamos fotos nem ideia de como se parecia, o padre só disse hoje de manhã que tinha a minha idade e uma doença muito grave e que tentaria se curar nas fontes de águas térmicas e milagrosas, águas sulfurosas que brotavam nos pés dessa imensa serra imperial que cerca a cidade, montanhas insólitas no meio do deserto como as montanhas de pedra sem vida na Islândia. Sabia que o sujeito vinha do Rio de Janeiro, mas para mim era mais um na minha casa para me encher o saco, mas para a espevitada da Isabel e a sonsa da Aline, sonsa e sonolenta, parecia que os seus cabelos longos pesavam toneladas, pendia a cabeça para o lado e olhava disfarçada entre os seus cabelos os soldados olhando para ela, um ídolo da televisão, um astro da música, algo assim estava para chegar. Eu não, eu pensava no garoto doente virando monstro. Tem uma lenda antiga sobre as pessoas que beberam as águas sulfurosas que curam doenças, ficaram curadas, mas só conseguiram sobreviver como zumbis, sem alma, sem comer o que a gente come, sem memória, como um bicho em busca de sangue quente para se alimentar. Esses zumbis viviam escondidos nas cavernas escuras das montanhas azuis. Ninguém anda por lá, só as cobras. O moleque estava vindo para se curar exatamente nessas águas venenosas, era isso que eu sabia dele, que era um doente, eu não sabia o que era o Rio de Janeiro nem tinha conhecimento da Rádio Globo como as minhas irmãs, onde elas conheciam os astros das novelas que elas viam na televisão. Para mim sua chegada iria ajudar ou atrapalhar meus planos de fuga. Ou mais um para eu passar vergonha.

Quando o avião da FAB surgiu no azulão do céu em forma de uma pequena luz, que foi aumentando de tamanho dentro dos nossos olhos acesos, eu fiquei excitado como todos. Fiquei com medo de encarar o garoto e quis ir embora dali antes de ele chegar. Não tinha nada para dizer, não queria ser motivo de chacota, mas a luz virou um ponto negro e em poucos minutos o avião estava taxiando em nossa frente, assoprando a lona das barracas verdes camufladas de mato. No meio dos passageiros descia na escada do Bandeirante um garoto com longos cabelos loiros, magro e um pouco mais alto do que eu, usando um boné do Flamengo, nem sabia o que significava aquele nome e aquele símbolo, não sabia nada de futebol, nem dos times, com uma mochila nas costas, olhando para a gente com os olhos escondidos sob sua dourada cabeleira. Isabel e Aline abriram a boca. O moleque era bonito e triste pra caramba. O frei falava o nome de cada um de nós enquanto ele olhava para cada um individualmente; quando ele disse o meu, eu não consegui nem dizer oi, nem abrir a boca, não me arrisquei a botar tudo a perder. As meninas nem conseguiam piscar de tão excitadas, que ele ficou meio sem jeito. Afinal minhas irmãs também cresceram no Pindaré.

— Fez boa viagem? — Ouvia a voz do padre pilotando seu jipe chegando pelo vento.

— Fiz. — E a sua resposta curta.

— Sua mãe está boa? — A insistência do frei.

— Está. — E a mesma resposta curta.

Estava atento a tudo que acontecia naquele jipe de tão excitado com a presença daquele cabeludo da hora. Eu estava mais excitado que minhas irmãs. O loiro de cabeça baixa via a movimentação das tropas do exército e mesmo assim não perguntava, ou olhava o movimento disfarçando para não olhar para a gente, sem ligar o porquê de tantos aviões e armas numa cidadezinha merreca como a nossa. Mas o padre falou assim mesmo:

— Meu filho, nós estamos em guerra. Guerra de verdade. Aqui a guerra não é "fria" não. — Depois emendou outro discurso. — O Daniel aqui conhece tudo em volta da cidade e pode te ajudar a ir às fontes. Estou partindo para o sertão, tenho um compromisso muito importante, uma semana de festejo no Riachão onde não posso faltar, tem muita criança para batizar e adultos para casar.

Foi somente então nessa hora que Victor olhou para mim, medindo o sujeitinho que iria ajudá-lo. Me senti diminuído.

Após se instalar em meu quarto, mal olhou para a cara de alegria de Geísa, apalpando seu braço, dizendo que estava precisando de sol e de comer muito, mas ele disse que estava cansado, que precisava descansar e queria se deitar logo. E se jogou em cima daquela cama de campanha e se estirou como se fosse dormir. Mas pensei em me arriscar e chamá-lo para ir ao cinema ver o filme do Maciste, era domingo, mas ele não deu prova de querer levantar, deixou sua mala como se estivesse pronto para voltar, ao lado da minha, pronta para partir.

Papai entrou no quarto de supetão e ficou olhando para Victor como se ele fosse um ser estranho e não uma pessoa.

— Por que você não corta esse cabelo? Tá parecendo mulher. Tá branco desse jeito porque não pega sol no rosto.

Victor arregalou os olhos. Isabel levou na brincadeira. Eu fiquei com vergonha. Foi a primeira e única vez que papai conversou com ele no tempo em que esteve conosco.

— Não é problema meu nem seu, é problema do padre — dizia papai a Geísa na porta do meu quarto, do meio da sala, sem se preocupar se Victor escutava ou não.

Mas papai antes de sair disse para Isabel e não para mim que o padre pediu para eu ajudar o Victor. Aí eu me animei e não queria deixar ele deitado não, nem com o protesto das minhas irmãs dizendo que ele tinha feito uma viagem longa, acordado cedo.

— Tamo indo pra praia. Vamos com a gente? — falei sem medir as consequências.

— Não, hoje não — disse como se fosse sua última palavra.

Senti a obrigação de cumprir meu papel incumbido pelo padre, e envergonhado, e escondendo a empolgação, disse que nós tínhamos praia e um cais onde eu pulava de cima.

— A gente pula de riba lá embaixo. Vamo? Te levo na garupa da bicicleta. E lá tem sombra.

Percebi a necessidade de ele descansar, mas não aceitava, meu entusiasmo não diminuía, e suando e tremendo as mãos não convidei mais para irmos banhar no rio. Queria perguntar se no Rio de Janeiro tinha um rio, de rio eu entendia, falava com sinceridade que a água era o meu segundo mundo, devia ter uma vida de peixe e não de voador. Eu continuava mesmo morando na cidade com os hábitos de criança criada no mato, da vida de quem viveu no sertão solitário, um lugar onde não se tem amigos e fazer estripulias nas águas do rio era a única diversão. Onde as pessoas não sabem conversar dialogando.

As molas da cama de campanha de cano, forrada com uma lona de uma cor quase negra, não dava para definir se era azul ou verde como as paredes desbotadas da nossa sala de visita que ninguém usava, pararam de ranger. Um tipo de cama desconfortável muito popular em garimpos, que se dobra e guarda de pé encostada na parede. Fora isso, somente o silêncio e a penumbra, a janela para o quintal onde meu pai escavava estava sempre coberta. Que amigo eu fui arrumar? Emburrei.

O dia acabou, a noite chegou, o outro dia também e ele lá, deitado. A decepção era grande em saber que ele não seria um amigo com quem contar, e pensei não levar em conta que ele fosse alguém que pudesse me ajudar a fugir. Nesses dois dias, Victor só se levantou para ir ao banheiro porque ele não quis mijar no penico que a Geísa pôs debaixo da sua cama. Mal comeu, mal falou, mal nos viu. Nem as batidas da picareta do papai no fundo da terra o incomodavam, nem perguntava sobre a origem do barulho que fazia a telha trincar e cair pó, do jeito que chegou era o jeito que estava. Parecia um filho da Geísa, dia e noite ela pensava em como fazer para agradá-lo, com alguma comida, remédio, qualquer coisa para fazê-lo viver.

Parecia que ela lhe dava sopa com garfo, comia apenas algumas gotas como se quisesse realmente morrer. Mas foi o médico, o doutor Rui, que o consultou, mediu a pressão, olhou os remédios que ele tomava e disse para ele dar uma volta, que fosse às fontes térmicas, motivo de ter vindo de tão longe.

***

Eu cerrava os dentes, mas pedalava entusiasmado e cheio de expectativas sob o sol ardente, com os bofes saindo pela garganta, cruzando um imenso planalto de vegetação rasteira, quase desértico, algumas árvores solitárias como um ipê ou um jatobá indicavam que aquele campo um dia foi coberto por floresta, era grande a perder de vista, salpicado de morros de pedras vermelhas, e ao longe as sempre sombrias montanhas azuis mostrando quanto é distante o infinito, um lugar que turistas pagam hoje somente para ficar olhando aquela beleza toda, e ele continuava mudo como se estivesse ainda dentro do meu quarto enfurnado na cama, com o rosto coberto por seu inseparável boné do Flamengo e uma camisa de manga comprida cobrindo até as costas das mãos, fazia de tudo para não ser visto.

Sabia da sua existência porque eu a todo momento olhava para trás para ver se ele me via e puxava conversa, mas ele continuava olhando para o chão, como se nem eu nem aquele mundo existissem. Como se eu não estivesse me sacrificando naquelas trilhas intermináveis de areia e piçarra, e nem se dava ao luxo de responder alguma coisa quando eu tentava puxar conversa. Eu falava "O sol tá esquentando" ou "Tamo quase chegando", um monólogo. Ele não dava continuidade. Nessa eu também fiquei emburrado e não olhei mais para trás. Mas meu instinto dizia que valia a pena todo aquele sacrifício, quem sabe um milagre acontecia? E ele nem tchum.

Só parei na hora de cruzar o riacho do Lage para beber um pouco porque depois tinha a subida de uma ladeira antes de chegarmos ao poço de águas claras, o poço milagroso, como se levasse um morto. Ficou meia hora ali dentro daquele poço sem abrir a boca e saiu sem olhar para os lados, sem perceber se havia cobra no chão, gente no seu caminho, todos aqui se cumprimentam, ao menos com os olhos, porque todo mundo se olha. O sol estava a pino e eu morria de fome. Ele pôs seu boné do Flamengo, subiu na garupa, e eu comecei a perder as esperanças de que ele pudesse virar amigo de um caipira como eu. Teria de encontrar outro jeito de fugir de casa.

Na volta, pela mesma trilha pedalava desanimado e de repente não resisti. Soltei a mão do freio bem no começo da ladeira do Lage. A bicicleta rapidamente ganhou velocidade e começou a tremer toda como se fosse desmontar. Quando estava a uns cem por hora, para meter medo no cabeludinho metido, era uma forma de mandar ele se fuder logo ao meu jeito, eu achava que a bicicleta não iria aguentar e fosse se desmanchar toda naquela ladeira cheia de pedras, e nada, ele nem reclamou. O efeito veio ao contrário. Vi a sombra dos seus braços abertos para apanhar o máximo de ar no seu corpo, como se aquilo fosse um voo e não o pesadelo que eu queria que fosse, e de repente começou a gritar como se estivesse tocando gado, um grito de louco. Aí eu também gritei. Sou desse tipo de gente que não guarda raiva nem mágoa e mudo de humor e opinião de uma hora para outra. Dei um grito de alegria. Soltei totalmente as mãos e comecei a gritar junto com ele. Gritamos com os braços e pernas abaixo na velha *bike* sem ligar em levar um tombo e quebrar o pescoço até chegar ao riacho do Lage correndo sobre a areia, rodeado por um brejo e enormes pés de buritis com ninhos de papagaios, touceiras de samambaias e as coloridas e cheirosas flores de aguapés e sempre-vivas brancas, que amaciou nossa queda.

Eu era outra pessoa, diferente daquela que começou a descer a ladeira quando estávamos rindo um do outro com a água nas canelas, me agachei e bebi com a boca direto na água, sem usar as mãos, como os bezerros, e ele fez o mesmo, me imitando. Era a primeira vez que Victor percebia a minha existência, e entrava no meu mundo sem mesmo entender a que mundo eu pertencia.

Quando saí da água percebi o pneu da frente furado, olhei para ele e ele estava sorrindo como nunca fizera antes, e pensei que teria de parar um tempo ali para consertar, quando ele falou com um sotaque carioca que mais parecia uma música.

— Nunca imaginei que pudesse ter um lugar tão maneiro como este.

Tirou o boné do Flamengo, ergueu o rosto e respirou fundo, sol e ar puro das terras áridas, eu também fiz o mesmo, cheirei o ar, com minha face corada de menino de rio e ele me imitou mais uma vez. Fui às nuvens. Queria que alguém me visse assim, mas não tinha ninguém no meio daquele deserto para ver que eu tinha um amigo.

Mostrei o pneu vazio e ainda coloquei a mão no meu embornal para pegar o *kit* de consertar pneu, mas olhando a oportunidade de voltar a pé conversando, me fez repensar, tirei a mão sem nada. Peguei a bomba e enchi o pneu furado, dispensei a sua ajuda, todo solícito e ainda sem jeito para lidar comigo e eu por outro lado sem jeito de falar com ele, e montamos novamente na bicicleta, andamos um pouco e o pneu murchou novamente como eu já previa.

— Não tem problema, vamos andando, vamos conversando — disse Victor me surpreendendo, arrumando seu boné. — Você *naisceu* aqui? — perguntou, e eu disse que não, depois que sim, era meio estrangeiro na cidade, para ele o mundo do interior era um só, e não era.

Eu conhecia os filmes do Tarzan, Santana, Ringo, Django ou qualquer filme com Giuliano Gemma, coisas que não parecia lhe interessar. Então me lembrei do valor que minhas irmãs davam ao Rio de Janeiro, mesmo eu tendo um pôster de uma loira de maiô na praia de Copacabana grudado na parede do meu quarto, para mim o Rio era apenas um fundo, um postal. Aí me lembrei de um filme com Roberto Carlos voando de helicóptero pelas praias cariocas e formavam na minha imaginação essas imagens fantásticas.

— Um dia eu queria conhecer o Rio — disse me achando. E ele não me disse nada.

Olhava para ele enquanto andava, sem perceber que ele estava vivendo um personagem cheio de alegria e felicidade, coisa que ele não era. E como não sabia nada do Rio comecei a falar do Pindaré. Disse que uma vez quando eu era criança tomei banho com filhotes de sucuris, eles ficavam se enrolando em minhas pernas e eu não tinha medo deles não. E ele acreditou. Ao menos pareceu.

— Fico imaginando como seria esse mundo cheio de natureza que você fala.

— Mundo chato. Era só mato. Quem quer viver no mato? — respondi indignado, empurrando vagarosamente a bicicletinha com seu pneu murcho. Nem falei os detalhes de como era essa vida, nem nada, só pensei e falei por alto. Não queria me mostrar tão atrasado.

— É uma vida boa. Já vi um cara dizendo que adoraria viver num lugar maneiro assim.

— Só se for doido — respondi ao jeito do sertão. Não somos sertanejos, como os goianos, somos do sertão. É diferente. Nosso sertão tem muita água. E desertos.

Ele riu. Fiquei feliz. Ele falava numa forma totalmente diferente de mim, muitas gírias difíceis de entender, era um moleque descolado, conhecia todos os jogadores do Flamengo pelo nome, lembro do nome Zanata, parecia com os nomes dos meus heróis no cinema. Falou por quase uma hora. Eu, ao contrário, como tinha vivido numa fazenda conhecia muito mais os nomes de árvores, frutas e animais, onde a própria cidade de Palmeiras ainda era um terreno a conquistar, um riacho a transpor. Mas não disse isso a ele. Parecia que ele já sabia.

Para mim essa natureza imensa que ele via era reduzida ao tamanho do meu mundinho. Um dia quando eu era criança atravessei o riacho Pindaré, coisa de três metros para mim era um imenso rio, e do outro lado eu descobri uma nova terra feita de coisas pequenas, quase minúsculas, que eu as via como miniatura do mundo natural. As chuvas fortes que caíram durante uma semana logo após as queimadas de setembro fizeram nascer brotos nas plantas e capins queimados que o fogo destruiu, que olhando bem de perto davam a impressão de serem árvores aqueles pequenos brotos verdes. Do carvão brotou uma microvegetação cobrindo as paredes das valas causadas pela erosão, transformando as valas em gigantescos paredões, imensos cânions, e a água empoçada em um grande lago, profundo e cheio de feras que eu podia pegar com um dedo, e montanhas que eu podia subir com um passo.

Andamos uns cinco quilômetros sob o sol quente no meio do nada em trilhas de carro das vias de uma fazenda sem perceber por onde andávamos, porque Victor me contava que seu pai estava exilado na Inglaterra e ele morava com a mãe psicóloga no Leblon. Fui me soltando também e toda hora eu perdia mais a vergonha e perguntei como que ele ia e vinha da escola de ônibus, como alguém na mesma cidade precisaria pegar um ônibus, não conseguia fazer uma imagem real de uma cidade grande, também perguntei a ele como se surfava e por que as pessoas chamavam os outros de "cara". Mas não tive coragem de entrar no assunto principal que martelava sordidamente na minha cabeça.

Encontramos uma caminhonete e divertidamente subimos na carroceria com a bicicleta e voltamos sacolejados pelos buracos da estrada de chão comendo poeira-alegria. Eu nem parecia mais o que eu era.

***

Estava naqueles dias mais feliz que pinto ciscando lixo. Pedalei inúmeras vezes o mesmo caminho do poço que minhas pernas já faziam parte da bicicleta que não as sentia mais quando a gente foi caminhando pela rua chamando atenção de todo mundo para encontrar a Heloisa e a Isabel na pracinha, fomos a pé, para que o tempo de casa até a praça fosse demorado e as pessoas pudessem me ver na companhia do cabeludo carioca que não olhava para ninguém nem tinha os dentes de fora como nós. Quem tinha me visto triste eu queria que me visse alegre, as meninas que nunca olharam para mim agora me veriam com outros olhos, e andei tão encantado com tudo e com o fato de a Heloisa estar esperando a gente que nem vi direito aquele trajeto que pareceu uma eternidade de curta duração.

A praça era o único ponto de encontro dos jovens da cidade e antes de a Heloisa se sentar naquela mesa com a Isabel elas tinham ido e vindo entre o cinema e a praça umas vinte vezes, elas não tinham outro lugar para ir ou outra coisa para fazer. Cheguei com a bola cheia olhando para Heloisa e ela olhando para o Victor. Eu era como os índios que tinham a alegria na sua própria natureza, algo que a filosofia quando começou a ser descoberta seus filósofos desconheciam civilizações alegres como a nossa antes de virem os europeus, trazendo-nos um conceito novo até então, chamado de felicidade, uma coisa que se adquire e não uma coisa que se tem. Alegria não entra no campo científico do ser, é uma cultura. Eu quando não estava enfezado tinha um sorriso permanente, falava rindo como um tio, irmão da mamãe que gostava de beber.

— Já se encontrou com a Regina Duarte e o Cláudio Marzo? Como eles são? — Isabel era assanhada e não tímida como eu, e perguntou de uma forma que ele não tinha como não responder.

— Não conheço gente famosa não — disse com seu jeito esquisito.

Toquei na mão da Heloisa e seus cabelos curtos e sedutores balançaram quando ela rapidamente olhou para mim. Um toque leve que senti como um raio me atravessando ao meio. Ela parou de tomar seu refrigerante, deixando marcas do batom no canudo, e sem querer olhei bem nos seus olhos provocativos, e senti frio na barriga porque eu não sabia onde enfiar a cara. Sem conseguir me expressar mais, não sabia se era a hora de pedir em namoro, chamar ela para sair da mesa e ir para um canto namorar, um milhão de coisas passou pela minha cabeça, porque eu achava que ela realmente me dava bola, não era viagem minha, mas não tinha essa certeza e perdi a espontaneidade. Tremia toda vez que pensava em falar com ela. Só acordei quando o idiota do Geraldo apareceu.

— E aí carioca, tá se acostumando? — Ouvi a voz do Geraldo como uma intromissão.

Geraldo, exibindo os dentes e a farda arrumada, surpreendeu Victor e todos nós aparecendo de repente por cima da mesa. Estava a caminho do Vietnã, indo namorar as putas. Victor afastou o cabelo da cara, deu uma olhada na figura e depois abaixou a cabeça novamente. Geraldo ficou com a cara de bobo, de boca aberta, rindo feito um idiota para ninguém. Ninguém demonstrou alegria com ele. Nem eu.

Aí sobrou pra mim. Ele se afastou da mesa tragando seu cigarro e batendo a cinza comprida, tentou disfarçar, e me olhou de um jeito ruim, as veias vermelhas de sangue dos seus olhos pareciam estourar. Ele tinha os olhos cheios de veias vermelhas como são os olhos de pessoas que já mataram alguém. Sumiu do jeito que apareceu.

Victor tossiu. Quando retomou ar nos pulmões, disse:

— Queria ir para casa — disse, olhando para mim.

Eu olhei para Heloisa com uma dor no coração em ter perdido aquela chance, e ainda querendo esticar nosso tempo, achando que poderia ter outra chance; Victor, sempre usando camisa de manga comprida no calor, afinal era uma pessoa nascida condenada à morte como a Jacqueline du Pré, se levantou e todo mundo fez o mesmo, ficaram meio tristes com ele tossindo o tempo todo.

Fomos embora chutando latas e cada um pensando ao seu modo em quanto de esperança a gente botava em um milagre. O meu era ir para o Rio de Janeiro com meu novo amigo. Não podia perder tempo, tinha de saber como ir para uma cidade grande. E rápido.

* * *

Victor sorridente me cutuca e me mostra algo escondido com as mãos atrás.

— Tenho uma coisa aqui que tu vai gostar.

Seu sotaque tinha um tom musical diferente de tudo que eu ouvia, parecia outra língua. Quando tento ver o que era ele me entrega um monte de discos de *rock*.

— Toma aí, vê o que é.

Me deu os elepês e compactos olhando para Aline como se tivesse dando aquilo para ela também. Ganhar aqueles discos foi a melhor prova de amizade que alguém podia ter e para mim foi como se a gente realmente criasse um pacto. Só faltava conversar como eu iria para o Rio de Janeiro com ele quando voltasse. Mesmo assim arregalei os olhos de espanto para as fotos nas capas dos discos de Led Zeppelin, Alice Cooper, Beatles, Black Sabbath, Raul Seixas e John Lennon, só coisa boa, não era música de um garoto como ele escutar.

Entramos na desbotada sala abandonada, com o tempo as paredes ficaram sem uma cor definida, era verde ou azul, decorada com quadros de vidros ovais empoeirados cobrindo fotos em preto e branco retocadas em tons azul-celeste e rosa, as fotos de papai e mamãe e outra dos quatro irmãos, feita no dia do meu batizado, pela primeira vez para ouvir música na velha vitrola Philips antiga e sem uso, um móvel de madeira amarelada da altura de uma televisão de vinte polegadas, dada por um conhecido do papai para pagar uma dívida na oficina, que ficou num canto durante muitos anos sem ninguém nunca usar, nem para saber se funcionava.

Victor, se exibindo mais para Aline, que não desgrudava da gente, levou um tempo para pôr o disco do Led Zeppelin no prato. Tomei um susto quando a caixa de som da velha vitrola esturrou uma música engasgada, como se quisesse tossir, como se tivesse acordado de séculos dormindo, uma tempestade cheia de som e fúria; a música que saiu tinha outro tempo, era a voz de outro mundo, e imediatamente encontrei algo para sonhar e desejar, porque até então eu não sabia da existência de música. Eu nunca tinha ouvido uma música de verdade. As meninas ouviam seus radinhos, pela Rádio Globo, as fofocas dos astros da música e da televisão em seu quarto à tarde, escondidas, quando papai não estava em casa. Um dos motivos de eu não conhecer futebol vem do fato de eu não saber ouvir rádio. Vivíamos como se ainda estivéssemos morando no Pindaré. A minha casa era crua como a de um mosteiro de pau e pedra para os devotos do silêncio. Somente na Copa de setenta, quando eu já tinha doze anos, soube o que era futebol. Nem naquela Copa eu ouvi algum jogo, só soube que existia uma Copa porque as outras pessoas torciam, soltavam fogos, e existia um álbum de figurinhas para colecionar com fotos dos jogadores. Descobri esse mundo já quase no final da Copa e mesmo assim não me interessei mais. Agora eu descobria a música, e me parecia mais interessante que futebol.

Atordoado com o som das guitarras assombrando os fantasmas da velha casa, eu olhava uma, duas, três vezes as capas dos discos, nem percebia que Victor e Aline estavam muito quietos se olhando, e fiquei com vontade de mostrar aquilo para todo mundo. Mostrei a ele uma foto de um com jeito bacana e simples bem diferente dos outros roqueiros, alguns com o corpo pintado e a língua de fora. Era John Lennon, que assim como os outros eu nunca tinha ouvido falar, nem o seu nome eu sabia pronunciar corretamente.

Vi Heloisa se aproximando pela janela onde moleques se juntavam, as pessoas na rua passavam olhando, devíamos ser a casa mais doida da rua naquele dia, Isabel vinha junto e era a chance para eu aparecer. Corri para a porta com os discos no peito. Ela entrou na sala passando os olhos em mim, parecia se divertir em me ver agoniado, passou quase se encostando a mim, e já foi dançando. O som estava tão alto que precisávamos quase gritar para o outro escutar. De repente papai apareceu na porta já entrando todo sujo de fuligem de carvão, suado como chegava todos os dias, os olhos vermelhos por causa do calor das brasas, falando alto.

— Que inferno é este? Respeitem o luto pela mãe de vocês. — Disse isso e mais nada. Virou as costas e saiu.

Respirei aliviado, mas a estima havia ido para o chão novamente e não me atrevi a olhar mais para Heloisa. Isabel explicou a Victor os motivos da proibição de tocar música, que existia desde a morte da mamãe, não podíamos ouvir qualquer tipo de música em casa, rádio só os noticiários, as meninas ouviam escondidas e ele até tolerava. E Heloisa tornou a voltar para o mundo do impossível.

O PRIMEIRO INIMIGO NUNCA TE ESQUECE

Nas silhuetas escuras, minha e do Victor, na contraluz do sol se pondo, sentados numa tábua encostada no tronco da cajazeira no alto do barranco às margens do rio, perto do Vietnã, éramos magros e compridos, praticamente do mesmo tamanho. Eu tinha que ficar calado como ele, achando coisas para pensar, olhando a imensidão do rio correndo como se fugisse do fim da tarde, o céu se tornou avermelhado refletindo no escuro do rio, o dia acabando e o calor se refrescando. A luz avermelhada como sangue transformava nossa silhueta escura numa mancha sem os nossos traços definidos na contraluz do sol poente, como se fôssemos do mesmo lugar e sentíssemos as mesmas coisas por estarmos no mesmo lugar sem necessariamente pensar as mesmas coisas. Visto assim éramos iguais.

Geraldo apareceu de supetão. Usando um gongó puído, passou correndo por nós zunindo feito pedra atirada por uma baladeira de tiras de pneus de bicicleta quando a pedra bate no cabo e sai enviesada, as pernas pareciam bater uma na outra, e pulou na nossa frente de cima do cais, longe da margem de onde nem eu nem ninguém tinha coragem de pular. Caiu de cabeça lá embaixo com risco de quebrar o pescoço somente para aparecer. Subiu o cais cheio de faceirismo, ficou diante de nós torcendo a água das pernas do gongó e encarando a gente, especialmente Victor, em tom cínico e desafiador, como se fosse grande coisa.

— Água boa. O carioca não vai mergulhar não?

Fiquei impaciente com a provocação do Geraldo contra o meu novo quase amigo. Victor simplesmente não disse nada, como se nem notasse o seu feito. Mas ele não sossegou.

— Tem coragem de pular daqui de riba?

Ele tava vendo o estado de Victor, fraco, sem cor, magro, a doença lhe tirava a energia, qualquer um via, sem a menor condição de pular de um lugar tão alto, e tomei partido.

— Se ele quisesse e tivesse bom ele pulava. — Deixando claro que estava do lado do Victor e não dele.

— Duvido — respondeu demonstrando contentamento por eu chamá-lo para a teima.

— Onde ele mora tem praia também. E rio também. Ele mora no Rio de Janeiro — falei empolgado.

Geraldo soltou uma risadinha. Depois ficou agitado, fungando e torcendo o gongó já enxuto sem notar a repetição. Para se mostrar mais saiu debaixo da cajazeira, se expôs mais e soltou uma mistura de desdém e inveja:

— Se eu quiser, eu posso ir morar no Rio de Janeiro, sabia?

— Quero saber como você vai para o Rio. De jegue? — eu disse gozando.

Victor reage pela primeira vez e segura uma risada repentina colocando a mão na boca e deixando o sopro da risada vazar perto do nariz. Geraldo ficou visivelmente alterado. E nervoso. E eu também. Ele começou a falar alto.

— Tá achando graça de quê? Quando essa merda de guerra aqui acabar, quando eu matar aqueles comunistas todos, um monte de babacas que nem vocês, eu vou poder escolher um lugar onde continuar servindo. O lugar que eu quiser.

Calamos na hora. Se Geraldo agressivo como era e de cara ruim como nunca vi na vida resolvesse brigar, a gente apanhava feio. Mas Victor nos surpreendeu.

— O Daniel vai conhecer o Rio de Janeiro. Ele vai comigo para o Rio quando eu voltar.

Geraldo emudeceu. Fiz que não ouvi para não comemorar antes do tempo, mas meus olhos e meu sorriso estavam radiantes como nunca esteve desde o dia em que nasci, mesmo reprimidos. O cabeludo da hora que as meninas não paravam de olhar, até a Heloisa olhava para ele, estava me chamando para ir morar no Rio sem eu precisar pedir. Ele tinha virado meu amigo de verdade naquele momento. Entrei na minha cabeça de vento e esqueci as ameaças do Geraldo, que estava se preparando para matar guerrilheiros a facadas, cortar cabeça de gente como se fosse cabeça de porco.

— É isso mesmo que você ouviu — disse sorrindo. E ele ficando mais puto.

— Você? Morar no Rio? Vai sonhando.

— Claro que ele vai — respondeu Victor de maneira categórica.

Fui às nuvens. Geraldo movimentou mais os braços e todo o corpo em volta do imóvel Victor, um sujeito que não fala se mexendo como as pessoas daqui. Geraldo não deixou por menos.

— Esse aí não vai pra lugar nenhum. Eu sim posso sair. Quer apostar quantos comunistas eu vou matar?

— Ele fala assim da guerra como se fosse ali no mato, matasse uma paca e trouxesse ela morta. Na verdade ele é o maior cagão. — Eu estava totalmente cheio de confiança.

Geraldo gritou.

— Cagão uma ova. Vou te mostrar quem é cagão.

E veio para cima de mim ciscando o chão, mas segurou a vontade de avançar sobre nós dois e nos encher de porrada. Victor se levantou. Arrumou sua camisa e encarou Geraldo. Mas Victor não o provocou como eu, apenas disse com tranquilidade que comunistas não saem matando as pessoas assim sem mais nem menos, e soou como uma provocação ainda pior que o ter chamado de frouxo. Que ele conhecia comunistas no Rio e eram iguais às outras pessoas, pertenciam a um partido político, falou sem alterar a voz, como uma pessoa adulta, com jeito de quem sabia das coisas para que Geraldo parecesse um idiota. E colou. Ele ficou com cara de idiota. E eu surpreso com o jeito de gente velha, educada e dono de si do Victor.

— Se você for amigo de um comunista você vai preso, sabia? Estudamos isso no quartel. Posso te prender só por causa do que você está falando, sabia?

Geraldo, com a camisa por cima do ombro, chutou uma pedra que pegou a mesma trajetória do seu salto e caiu no meio do rio, ouvimos aquele som como se no fundo quisesse nos chutar e nos preparamos para dar o fora. As guerrilheiras eram lendárias como as ninfas gregas, eram seres mutantes cheias de sedução e morte. Seduziam os soldados com sua beleza e depois os matavam. Isso era verdade. Geraldo foi preparado esse tempo todo para uma batalha com essas guerrilheiras que apinham as densas florestas para matar ou morrer. E Victor também. E eu também. Cada um com suas armas e sua batalha, cada um com sua sorte.

Nos levantamos e fomos embora para sair das suas ameaças.

— Vocês não querem ir ver as raparigas do Vietnã também não? O Daniel nunca transou e nunca nem viu uma mulher pelada. Aposto que você também nem sabe o que é uma mulher. Tem jeito de frouxo.

Já estávamos longe em nossa infalível e surrada monareta azul-celeste, eu achando que estava indo agora mesmo para o Rio de Janeiro. Tudo que eu desejava na vida estava acontecendo. Mas em vez de falar desse assunto perguntei se ele conhecia realmente um comunista. Ele não me respondeu e só me olhou de um jeito que era para eu não ter feito aquela pergunta óbvia.

***

Na saída do colégio, Geraldo caminhava na minha direção numa linha reta passando pelas pessoas como se estivesse possuído por alguma coisa, chegou perto e vi seu olhar esquisito, estava virando outra pessoa a cada dia que passava naquele quartel, nunca era bom esquecer que ele estava sendo preparado todos os dias para matar, se não fosse na guerra seria aqui, e eu fiquei com medo, seus olhos vermelhos pareciam ter raiva de mim, um tipo de raiva que eu não podia tirar, estava plantada nele por sua conta própria.

— Esse cabeludinho seu amigo é comunista também. Você tem que tomar cuidado com ele. Ele não é seu amigo coisa nenhuma. Esse cabeludo é um deles.

— Ele não é comunista não, é gente legal. E eu vou morar na casa dele no Rio de Janeiro quando ele voltar.

Geraldo não sorria, não se mostrava amigo, tinha as feições fechadas de raiva mesmo, como se eu já não fosse mesmo o seu amigo de antes.

— Se ele voltar. Ele já está quase morto mesmo. Ele não tem uma doença sem cura?

Só não esmurrei Geraldo porque ele me mataria depois, era maior do que eu, e não queria estragar meu futuro, a minha nova vida no Rio de Janeiro que não saía mais da minha cabeça e que tirou os pesadelos dos meus sonhos, agora sonho voando.

* * *

Estávamos na calçada sentados nas cadeiras de macarrão como a gente fazia antigamente para poder exibir Victor. As luzes dos postes começavam a acender porque em poucos minutos os becos se tornariam sinistros e as copas das árvores cheias de almas com mortalhas, só a gente no claro, e Geraldo apareceu todo de uniforme de combate e usando óculos escuros naquela hora em que não tinha mais sol. Os dois não deveriam se encontrar até Geraldo sumir para matar seus guerrilheiros. O mala usava uma pistola e uma faca na cintura, quase imitando o cabo Pena. Os óculos o deixavam parecido com um daqueles cantores de música brega, cara do Waldick Soriano. Chegou perto do Victor, eu pulei assustado, e abriu os braços sorrindo ao invés de nos agredir, e disse olhando cinicamente para Victor:

— Viu? Vou usar estes óculos para uma guerrilheira não me enfeitiçar.

Eu estava me cagando de medo de rolar uma merda, a Aline tirou a mão do queixo e Isabel achou engraçado, e Victor enfiado numa cadeira de macarrão e encoberto por uma camisa de manga comprida com dois ou mais números maiores que o dele, fez um ar de deboche.

— Com esses óculos é mais certo que você vai assustar as guerrilheiras.

Isabel não se conteve e riu causando um efeito Hulk no Geraldo se transformando rapidamente numa criatura verde--escura. E já alterou a voz como se estivesse bêbado.

— Comunista de merda. Tá pensando o quê? Só porque está doente pra morrer não quer dizer que eu não posso te matar.

— Tô morrendo de medo — disse Victor com tranquilidade, sem se mover da sua cadeira nem pra frente nem para trás como eu e a Isabel fazíamos de tanta apreensão.

Aline agitou-se toda e ficou mais perto do Victor. É que o carioca, que se morasse conosco mais tempo logo ganharia o apelido de alemão, estava sem noção do risco, as pessoas conhecidas minhas não tinham o hábito de falar direto assim, de rebater as pessoas na hora, e se ele fizesse isso com alguém como o totalmente alterado Geraldo era o mesmo que pedir para ser morto. Geraldo se afastou da gente e foi para o meio da rua como se tomasse distância antes de puxar a arma e atirar em todo mundo. Mas de repente partiu para cima do Victor. Aline gritou. Geraldo, em vez de puxar a arma, apontou apenas o dedo ameaçador, que para nós foi como um tiro, bem no nariz do Victor.

— Acha que é homem, é? Então levanta daí para ver se tu é homem mesmo.

Quando se fala isso para uma pessoa por aqui é sinal de briga mesmo e se alguém estiver armado quer dizer também que um deles no final poderá terminar morto. Aline se desesperou e se agarrou ao Victor.

— Não vou me levantar e não vou sair daqui não. Se quiser é só puxar essa pistola aí e atirar. Esse papo de matar guerrilheiro não está com nada, esse papo de guerra é careta. E eu não tenho medo de você.

O sotaque do moleque cabeludinho criado nas praias onde circulava a malandragem e filho de gente inteligente, que enfrentava a morte fazia muitos anos, deu lugar a uma fala firme e sem deboche, e nem fez menção de que tinha algum medo de Geraldo. Apesar da diferença de tamanho entre os dois, Victor convivia com a morte e Geraldo com a vontade de matar. Geraldo ficou mais verde-escuro e puxou a pistola da cintura, levando aquele cano grosso bem para perto da cara dele. O mundo parou e até eu gritei. E iríamos morrer todo mundo. Geraldo iria matar todos nós. Ficamos esperando o tiro. Victor não fez nada para se livrar da arma, nem medo teve. Geraldo então recolheu o revólver. Aline transtornada ficou entre ele e Victor.

— Cabeludo filho de uma égua.

O sangue do Geraldo ferveu e as veias dos seus olhos pareciam saltar como se fosse um termômetro da sua raiva. Meu sangue, ao contrário, congelou e me travou inteiro. Uma sensação ruim.

Os soldados que vinham do puteiro se aproximaram, Geraldo estava branco como um caco de xícara de porcelana, e o carregaram para sua casa avisando que se vingaria.

O MENINO QUE PENSAVA ENGANAR O TEMPO

Quem era Victor de verdade? Depois daquele dia tenso ele voltou ao seu mundo de tristeza e se enfurnou dentro do meu quarto da mesma forma que fez quando chegou. Eu não. Só pensava em partir para o Rio de Janeiro, sonhava com o mundo que eu iria conhecer e continuava com aquele ar de alegria boba. Em casa todos estavam tão tristes como quando ficaram antes da mamãe morrer. Vizinhos se juntavam na janela para saber da saúde do loiro doente. Eu passava o tempo na escola pensando em como iria falar para papai que eu precisava ir com ele para o Rio de Janeiro, e todos os dias eu achava que ele estaria me esperando de braços abertos quando chegasse da escola, me chamando todo feliz para a gente andar de bicicleta até as águas milagrosas. Se isso acontecesse, a gente se uniria ainda mais.

Eu caminhava de volta da escola na hora do almoço e por cada porta aberta das casas eu sentia sair um aroma diferente do almoço que estava na mesa ou saindo das panelas. O cheiro também andava por um canal no vento, assim como os sons dos animais e a temperatura do tempo mudando. Esses códigos têm sentidos. Com fome eu parecia capaz de encontrar os contrários desses aromas quase sólidos: o cheiro do vinho na manga, o aroma de chocolate frio no café quente que o padre servia depois da missa, e o gosto do doce no azedo do sorvete de limão da raspadinha que a gente tomava na hora do recreio. O mundo caminhava perfeito mesmo girando em seus contrários. O importante era eu não perder o meu primeiro e grande amigo, o irmão que eu nunca tinha tido, nem encontrado alguém que aceitasse esse papel, outros te procuram como irmãos e a gente também recusa, mas o que fica mesmo são os irmãos que você quer para si e eles nem percebem.

Entrei no corredor guiado pelo cheiro do coentro da comida da Geísa, ouvindo as vozes de mais gente além da nossa família sussurrando. Passei direto pela porta do meu quarto onde Victor estava estirado na cama de costas para a porta e não me viu. Isabel e Aline vieram na frente e já estavam ao seu lado. Não gostei de ver o doutor Rui, um fazendeiro médico que gostava da profissão e de atender quem não tinha recursos, preocupado com minha irmã meio tantã, como se fosse ela o problema, dava a ela um comprimido e um copo d'água. Geísa estava sentada num tamborete no quintal com um pano de prato no ombro, assoava o nariz e secava no pano as lágrimas no rosto, segurava o copo numa das mãos com a água derramando e o comprimido na outra e não conseguia parar de soluçar para tomar o remédio. Isabel e Aline deixaram o quarto e se aproximaram de mim como se fossem me revelar um segredo, falando sussurrando para ninguém mais ouvir.

— A febre dele tá alta. Muito alta. Ele já tomou um monte de remédios e a febre não corta. O médico disse para a Geísa que a doença dele não tem cura mesmo. Por isso ela tá aí desse jeito. Tão achando que ele tem de voltar logo antes de piorar. O padre já avisou a mãe dele lá no Rio de Janeiro.

— Eu vou com ele — respondi também baixinho.

— Vai pra onde? — quis saber Isabel como se já não soubesse.

— Vou pro Rio de Janeiro. Ele disse que ia me levar com ele quando voltasse.

— Mas parece que ele já vai voltar.

Isabel me olhou sem dizer nada de um jeito que me dizia tudo, para eu não perder tempo achando que iria para o Rio de Janeiro com ele, e me irritou.

Pálido com o rosto para cima e estirado na minha cama com as mãos cruzadas na barriga como se fosse um morto, igual mesmo a um morto, arregalei os olhos achando que as meninas tinham razão. Cheguei bem perto e ele se ergueu de uma vez, abriu os olhos e fez ah! Quase me matou de susto. E sorriu para mim como se não sentisse dor nenhuma nem estivesse doente de cama. Me disse alegre e feliz como eu:

— E aí? Tá pronto pra gente se mandar pro Rio?

* * *

Levei Victor para pescar logo que a febre baixou, em vez de irmos para as fontes como o padre mandou. Victor tinha o seu jeito estranho de estar feliz. Aline também o atraía, ele parecia gostar dela também. E parecia se divertir comigo. Se divertir de verdade mesmo. Pegou uma vara com anzol que entreguei a ele dizendo como se pescava, era apenas jogar o anzol na água e esperar o peixe morder a isca, porque ele nunca havia pescado na vida. Olhava como eu segurava a vara, esticando a linha na água para torná-la mais sensível ao toque do peixe no anzol, e pela primeira vez tirou o seu boné do Flamengo da cabeça, a camisa e as calças e ficou exposto ao sol quente. Era branco que parecia feito de algodão. Se esquentava sob o sol como se o seu sangue fosse frio como o das tracajás. Nossa linha na água fazia um risco hipnótico do movimento contínuo do rio indo para além das montanhas azuis, para o lado onde começava a Amazônia, e onde se escondiam as temidas guerrilheiras sedutoras.

Ele achou engraçado pescarmos em silêncio, parados, esperando muito tempo um peixe morder o anzol, parecia coisa de idiota. Para ele esse ato tão simples era sem graça, até eu pegar um piau cabeça gorda, daqueles grandes, que puxou com muita força a linha para dentro de uma toca me obrigando a segurar a vara com as duas mãos. Quando o piau fez a manobra de ir para a toca para ver se cortava a linha de pescar roçando nas pedras, eu soltei mais linha e comecei a temer que ele fosse cortá-la, tornando a luta para trazer o peixe para fora uma verdadeira batalha, tão emocionante quanto disputar uma corrida de rolimã, ou torcer pelo time dele num domingo de Maracanã lotado, e essa luta o cativou e o emocionou, que no fim acabamos os dois pulando de alegria com aquele peixe enorme, brilhante e vivo, pulando nos nossos pés sob nossos olhos de contentamento.

Os olhos de Victor brilharam quando algo no fundo do rio puxou a sua linha e ele sentiu a força do peixe no braço, teve de segurar a vara com as duas mãos e se afastar da margem para tirar rapidamente de dentro da água um imenso piau de escamas brilhantes se debatendo aos seus pés. Victor pulou como uma criança. Ria e pulava. Cantava trechos de suas músicas em inglês, ele falava inglês. Durante todos esses dias ele nunca sorriu, sempre foi triste. Terminamos o dia mergulhando e nos divertindo como gente que vive alegre. E estávamos curtindo e vivendo as mesmas coisas, as mesmas experiências.

Mas à noite quando entramos no Cine Coimbra ele já não era o mesmo alegre de antes. Entrou silencioso e olhando por baixo da sua cabeleira nunca além dos seus pés. Fomos ver o filme do 007, os *diamantes são eternos*. Heloisa estava lá. Meu sentido mudou quando eu a vi olhando para mim. Esse negócio de a gente se olhar me ferrava. Eu era tímido demais e não queria deixar parecer que eu era a fim dela. Eu olhava para todos os lugares ao mesmo tempo, girava a cabeça de um lado para outro, olhando para tudo quanto era lugar, e em cada movimento desses que eu fazia eu dava um jeito de perceber Heloisa dentro do meu campo de visão. Fazia esses movimentos para não olhar diretamente para ela, e ela não perceber. Isabel me censurou por me sentar longe delas, até o Victor me olhou assim de lado, e nesse tempo tocou as três badaladas no fundo da tela anunciando o começo do filme. A luz da sala se apagou e na escuridão uma luz fraca iluminou a cortina na frente da tela começando a se abrir lentamente. A luz do projetor finalmente bateu na tela e a sala escureceu mergulhando numa barulheira enquanto a imagem do Condor aparecia brilhante e todos assobiavam para ele voar, e ele voava e todos se divertiam.

— Eu já ia lá. Mas agora o filme já vai começar.

— Vai assim mesmo — Victor tenta me ajudar piorando.

— Agora está tudo escuro. Puta merda.

Victor olhou para mim antes de fazer uma pergunta em tom sério. Ele queria que a Aline tivesse vindo, mas ela não gosta de cinema. Fica apavorada com o som muito alto. É uma irmãzinha quase invisível, não tinha personalidade porque papai dizia que era igual a minha mãe e eu não sabia como era a minha mãe. Ela não me chamava pelo nome, só de Dani. Isabel e Geísa me chamavam assim quando queriam algo ou minha atenção. Mas eu não gostava, Dani parecia apelido de mulher, nunca um apelido pegou em mim, sempre fui muito raivoso para aceitar alguma provocação. Nunca fui do tipo de garoto que se põe apelido.

***

Cheguei da escola morto de fome por causa da grande quantidade de cheiro de comida absorvida no caminho, e encontrei o médico e minhas irmãs novamente em pânico. Aline nem comer comia mais, definhava como ele, Geísa ganhou o olhar atônito dos loucos e Isabel tentava ser racional. Papai saía pouco de dentro de seu buraco, e o mundo girando no seu eixo me deixava do lado de fora. Dessa vez não entrei na delas, ataquei a comida primeiro, só eu sabia que Victor estava bom, enganava os médicos e todo mundo, não iria morrer como eles pensavam. Entrei no nosso quarto frio para a gente comemorar mais uma vez porque ele enganou todo mundo se fingindo de morto, mas ele também não reagiu e tentou me enganar e não se virou quando o chamei, nem da segunda vez nem da terceira e nem hora nenhuma, parecia adormecido. Meu rosto sorridente devia ter ficado aterrorizado tal como o das meninas antes de pensar o que seria de mim se ele fosse e eu ficasse.

***

Victor não se levantou e entre as paredes dos cômodos da nossa casa formou-se um silêncio maciço, um tipo de bolo feito de vazio compactado que virou massa, eu ouvia nessa massa os canais de sons miúdos como se não houvesse outros ruídos em nossa volta. Como se não houvesse um espaço sem nada para as pessoas e as coisas existirem. Uma massa invisível onde eu podia então dominar todos aqueles códigos flutuando ou parados naqueles espaços, dominava esse sentido extra que só cães e urubus têm por conta da minha vida nos ermos; uma mosca perseguida, um maribondo caçador pegando uma lagarta, os besouros cavando buracos na parede, eu podia ouvir tudo que se mexia em todos os cômodos da casa. Eu estava na sala e ouvia a respiração de Victor no quarto. Estou dizendo isso porque eu usei esse sentido para ouvir música também. Eu ouvia a música tocar sem ligar a radiola com medo de papai descobrir. Eu rodava o disco na radiola com o dedo e encostava o ouvido perto da agulha arranhando, e conseguia ouvir uma música naquele chiado. Ouvia Lennon. Sua voz era rouca, como se aquela agulha estivesse arranhando sua pele, cortando sua carne por fora e por dentro, até parecia alguém com os mesmos problemas que os meus.

Naquele pequeno êxtase eu desejei de olhos fechados, para dar mais força ao desejo, pois se reza assim para que um milagre aconteça, que se eu não fosse embora com o Victor para o Rio de Janeiro que o mundo se acabasse logo de uma vez. Que acontecesse logo a temida e esperada terceira guerra mundial, e como estava mesmo para acontecer, se contava como certa, poderia começar logo e acabar logo também.

Geísa mexia no fogão, um pano na cabeça para segurar os cabelos, correndo de um lado para outro, arrumava uma coisa, mexia uma panela, lavava outra, enfim, tudo ao mesmo tempo, e ouvi claramente a voz de Aline e Victor sussurrando como insetos, distanciei um ruído do outro, os ruídos da colher de pau mexendo a panela, de uma faca cortando cebola, e me concentrei no Victor e Aline, e aos poucos existia somente o vazio da vida monótona. Aline assoou o nariz. Soluçava.

Victor explicava a ela por que não tinha emoções comuns como ficar triste ou alegre, não chorava mais por qualquer coisa, nem vivia de alegria nem tristeza como eu, ele não precisava dessas emoções como as pessoas normais, que usam esses sentimentos para se unir, porque precisavam umas das outras, mas ele não. Sempre viveu sozinho. Começou a ler muito cedo, tinha se tornado uma pessoa existencialista ainda garoto, lido livros de adulto, e sabia de coisas essenciais à vida que só os adultos velhos sabiam. Ele falou mais ou menos assim para Aline:

"Eu sou uma pessoa hoje com oitenta anos, mas não morrerei de velhice como um velho morre porque meu tempo é outro e não fica velho porque não passa nem fica parado, é sempre presente. No meu tempo não há envelhecimento por etapas da vida, onde as coisas têm começo, meio e fim. Nesse mundo normal eu teria uma vida breve, então eu criei o meu mundo sem essa ordem temporal, sem eventos, vivendo sem expectativas. Eu já vivi uma vida inteira e estou agora no fim sem ter ficado velho. No meu tempo eu já passei por todas as fases da vida que uma pessoa pode passar. Eu fiz uma vida plana para mim. Participam dela aquilo que não se move para a frente, meus livros, minha mãe de vez em quando, minha gata, o nome dela é Mariza, meus filmes, minha praia, o mengão e a minha música, coisas que já existiam dentro de casa, sem ter mais ninguém para gerar alguma relação pessoal. Isso me bastava. Mas aí te encontrei aqui. Longe de tudo que eu tinha. Agora tenho sonhos que antes eu não tinha. Não ter presente, passado ou futuro é também não ter sonhos. Sem o tempo dos relógios. Sempre soube que minha vida seria curta e corri mais rápido. Mas agora vejo as coisas diferentes. Eu sabia que existia essa coisa de amor, achava uma babaquice alguém amar outra pessoa, não tinha condições de apostar nisso, mas agora eu daria a minha vida toda que passou por mais um tempo, um tempo ao seu modo para eu ficar eternamente do seu lado".

Depois que ele disse que vivia num sertão como eu vivi, veio um silêncio de morte e as lágrimas correram dos meus olhos sem eu chorar. Ouvi os prantos dela. Ele voltou a falar:

"Eu sonhei estes dias em que estive aqui e eu nunca tinha sonhado antes. Não tinha sonhos com imagens, situações, e agora tenho. O que eu sinto por você me deu essa vontade, mas aí eu penso que dentro do meu mundo o nosso amor é perfeito, já podemos estar casados, já tivemos filhos, já tive a minha vida completa. No meu mundo isso é possível e está acontecendo. Você é a minha parte que faltava que eu não sabia, e agora a gente se casou, já somos marido e mulher, vou te amar sempre. Mesmo longe. Tenho de ir embora por causa da mamãe. Mas vou pensar em você dia e noite, vou ter sonhos todas as noites, até o último segundo da minha vida. Agora quero ficar bom para voltar e te levar comigo".

Papai entrou em casa e eu não me mexi para ninguém saber onde estava. Ouvi os passos dele até o quintal, barulho de tábuas sendo jogadas no chão, xingamentos, pensei ser madeira para segurar as paredes do seu buraco ou algo para ajudar a arrebentar a sua imensa e maldita pedra que ele não conseguia quebrar no braço. Escutei um barulho de martelo batendo nas tábuas fora do buraco e resolvi ver o que era.

Papai pregava as tábuas ao redor do tanque de lavar roupa, porque Victor espionava as meninas se banhando. Elas se banhavam de calcinha e camiseta. Nem eu nem minhas irmãs achamos que o motivo fosse esse.

Victor não ficava mais sem febre. O doutor Murilo e o padre diziam que ele devia voltar urgente para o Rio de Janeiro. Mas ele não encontrava avião para voltar, todos estavam envolvidos com a guerra. O médico dizia que agora ele não tinha muitas condições de reagir aos medicamentos, baixar ao menos a febre para ele poder viajar, porque andando ele não sairia mais dali. Foi como se me matasse também. Nem queria sonhar que poderia ter aquela vida horrível de antes.

Aí eu senti a química do meu corpo mudar. Sumiu o gosto das coisas, o doce dos doces e o sal da carne-seca, até o refrigerante só tinha gás e água, a música dos cabeludos perdeu a graça. Sentia um peso muito grande, como se eu tivesse escapulido de uma altura muito alta, e mesmo com tanto peso em mim, ainda não havia chegado ao fim da queda.

A MAÇÃ E A GUERRILHEIRA

— Num tá me reconhecendo não, seu cabra?

Geraldo me assustou e me acordou do mundo do nada para a rua cheia de gente e soldados babacas. As duas cadeirinhas de macarrão, cada uma da metade do tamanho de uma grande, que eu levava na garupa da bicicleta para os filhos do Celestino escapuliram com a freada brusca. Ele segurou o guidão da bicicleta e ficou com a cara tão perto da minha que senti o cheiro nojento de cerveja e cigarro misturado com pau podre.

— Que foi? Tá com medo da gente?

Eu abaixei a cabeça para esconder meu rosto sujo de carvão de soprar o forno na oficina. Apanhei as duas cadeirinhas e pus de volta na bicicleta. Dois soldados riram. Geraldo tinha os olhos de quem é pistoleiro, que já matou por dinheiro ou por prazer. Agressivo, levantou o braço enfaixado apoiado em uma tipoia e pôs na minha cara.

— Tá vendo? Isso aqui foi uma comunista que fez, sabia? Mas eu matei a desgramada. Dei um tiro na cara dela. Era uma mulherona.

— A guerrilheira queria comer ele. Mas foi ele quem comeu ela — disse um sujeito ao meu lado, um cabo, cabo Pena, um sujeito baixo, tarracudo, dos braços grossos que parecia que a manga da camisa ia rasgar e os músculos saltarem. Usava uma imensa faca na cintura, maior que a dos outros, e uma pistola maior ainda do outro lado, as duas armas penduradas à altura das coxas, lá embaixo, como os caubóis usavam, e tinha olhos ruins como os do Geraldo, fedia a cerveja e cigarro como ele. E devia também dormir só com raparigas.

Geraldo me olhou de maneira ruim.

— Eu não te disse? Catei uma dessas guerrilheiras. Uns a gente matou lá mesmo, outros trouxemos para interrogar, e se eles sobreviverem depois a gente mata também.

Como eu não achei nada de mais os seus feitos como costumava achar antigamente, ele parecia querer ainda me mostrar alguma coisa que me fizesse achar que ele prestasse. Não porque eu quisesse, mas eu não tinha noção da importância dos guerrilheiros para a cidade e até para o país. Geraldo, quando era meu amigo, me explicava, mas do jeito dele. Para mim, o mundo dos guerrilheiros era místico, mulheres bonitas traiçoeiras e homens que ficavam invisíveis e à prova de bala. Eu não entendia por que o exército queria matar os sanguinários guerrilheiros, se era apenas porque eram maus, mas eu sabia naquele momento que ele continuava mentindo como das outras vezes.

— Acha que eu estou mentindo? Trouxemos alguns deles, estão presos lá no aeroporto, para interrogatório, tão vivos porque foram pegos dormindo.

Geraldo largou o guidão da bicicleta e se afastou batendo com as pontas dos dedos no meu queixo. Senti aqueles dedos duros como um tapa de despeito. Depois riu cinicamente sem se importar com a minha indignação.

— O cabeludo já morreu?

— Claro que não. Tá vivinho.

Geraldo virou as costas para mim, se achando, e tomou o rumo do aeroporto junto com seus comparsas, me respondendo de costas:

— Pois já devia estar.

Mas eu respondi de outra forma, não peguei a sua provocação.

— Quero ver estes guerrilheiros. Ver se são de verdade mesmo. Se não é uma invenção sua.

Geraldo parou imediatamente de andar e virou os olhos com as veias saltando para fora. Pensou um pouco.

— Vou te levar para te mostrar que não sou igual ao seu amiguinho cabeludinho amigo dos comunistas não.

Eu fiquei parado e eles esperando.

— Tá com medo da gente, cabra? — esporrou o cabo dos braços grossos e olhar de gente ruim para me amedrontar.

Fui atrás dos soldados em minha monareta azul como filhotes desorientados de galinha choca seguindo a mãe, ouvindo as façanhas das lutas nas matas do Xambioá, onde a ferocidade dos guerrilheiros era sempre ressaltada para poderem aumentar a dimensão de suas vitórias. Na entrada do aeroporto, eu me apertei ao passar por dois sentinelas com uniformes de guerra e suas metralhadoras prontas para disparar, não sabia se podia entrar montado de bicicleta, era muito cagão mesmo, e desci logo da *bike* ainda com as cadeirinhas na garupa antes de um deles me advertir. Meus olhos arregalados procuravam avistar logo aquele avião gigante de sombra arrepiante que parecia querer me engolir.

Os objetos empreteciam, helicópteros, barracas de lona acendendo suas lâmpadas, pareciam tochas de olhos de jacaré, soldados se movimentando no contrassol, uma bola vermelha se fundindo no céu que encobria todo o aeroporto como um grande teto e sumia atrás das montanhas azuis próximo a um imenso platô, a uns vinte quilômetros da cidade. Senti que o imenso Búfalo estacionado com a bunda aberta estava com alguma coisa estranha, e um soldado saiu de dentro dele trazendo um saco de estopa que se rasgou bem na minha frente. De dentro do saco, caíram duas cabeças de pessoas, com pescoço, os cabelos assanhados, barba no rosto dos mortos sem sangue, os rostos brancos como frango depenado. Eram cabeças de guerrilheiros decepadas pelos pistoleiros contratados pelo exército. Fiquei apavorado. Geraldo e cabo Pena deram uma grande gargalhada.

— Viu? Esses aí eram guerrilheiros. Isso aí é o que sobra deles quando a gente pega um — me disse cinicamente o cabo Pena.

Um sargento com dó de mim, talvez por causa do meu rosto sujo, de menino que trabalha, ou que não tinha pais, apareceu segurando umas caixas brancas. Abaixei a cabeça com vergonha. Ele foi gentil e me entregou uma das caixas, e mesmo assim eu não destravei nem disse obrigado, e ele acenou com a mão como que entendendo a minha timidez. Quando abri a caixa e olhei o que tinha dentro ele me disse assim:

— É uma maçã. Vem da Argentina. Já comeu maçã?

Eu sacudi a cabeça para um lado e outro duas vezes. Não sabia nem que cheiro tinha.

Fascinado com o *kit* de lanche dos militares, um sanduíche de pão com queijo e mortadela, uma maçã bem vermelha e um refrigerante de guaraná, me afastei um pouco daqueles aviões e das cabeças cortadas, encostei numa casa afastado do Geraldo e dos soldados fumando e falando sem parar, e comecei a matar minha fome. Fui comendo apenas uma metade do sanduíche, enquanto acariciava e cheirava a apetitosa maçã. Deixei o refrigerante dentro da caixa para dividir com minhas irmãs, e não vi que a noite havia chegado de todo e não me lembrava mais dos terroristas que o Geraldo ia me mostrar, nem que eu tinha que voltar e entregar as cadeirinhas de macarrão para os filhos do Celestino. Era a primeira vez que comia um sanduíche e que via uma maçã de verdade. A casa estava com a porta aberta, mas tinha uma grade de ferro, e tão escura de não se ver o que tinha dentro. De repente vi que algo se mexeu naquele escuro e me gelei todo, era uma assombração. Engasguei com o sanduíche e quase saí correndo. Mas em vez de um monstro, surgiu do fundo da casa um sujeito barbudo, sujo e sem camisa, com as mãos para a frente como se fosse pegar no meu pescoço, e me afastei rapidamente de perto da porta. O coitado se jogou contra a grade, magro e cheio de machucados. As mãos pedintes através das grades ficaram quase na minha cara de terror.

— Ô garoto, estou morrendo de fome. Me ajuda.

Fiquei assustado e com dó do sujeito na hora. Qualquer um ficava, vendo sua situação. O sujeito barbudo e magro parecia mais um padre que guerreiro matador.

Nervoso, tirei um pedaço da metade do meu sanduíche e ele pegou aquilo rápido, meteu na boca e ficou olhando para a caixa e a maçã na minha mão. Escondi a maçã imediatamente. Aí aconteceu o pior. O escuro do fundo da casa se moveu de novo e eu pensei: "Tem mais". Quis correr, mas não consegui sair dali sem saber que monstro era aquele, e em vez de um homem apareceu uma mulher, também faminta, não tão machucada quanto ele, mas com os cabelos loiros desalinhados e os olhos claros tomados de desespero. Quando ela se encostou na grade com as mãos pedindo comida, seu rosto se iluminou e apareceu a mulher mais bonita que eu já tinha visto na vida. E mais, estava sem roupas. Só vestia uma calcinha velha. Os cabelos cobriam seus seios grandes e volumosos. Meus olhos se grudaram nela imediatamente me esquecendo por completo de onde eu estava e o que tinha ido fazer ali.

Estiquei o braço e dei a ela o outro pedaço do sanduíche. Ela tomou aquilo rapidamente e meteu na boca como uma selvagem.

Dava para ver que era uma garota ainda, e muito mais bonita que a Jacqueline du Pré, a musa do seu Alfredo, e que a loira do meu pôster, devia ter menos de vinte anos. O guerrilheiro também era novo, com um calção em farrapos e tinha visíveis marcas de espancamento e torturas pelo corpo. Ela engoliu o sanduíche depressa e continuou com os olhos piedosos e sedutores em cima de mim, da minha maçã e da minha caixa de lanche.

— Ainda estou com muita fome. Não me deixa morrer de fome. — Quase chorei de pena. A voz dela era diferente da voz do padre barbudo e faminto, era uma voz leve e mais triste.

A maçã escorregou da caixa e rolou no chão, imediatamente apanhei, e quando olhei para ela seus olhos estavam cobiçando a minha preciosa maçã. Não queria por nada no mundo deixar de provar o gosto daquele cheiro tão cheiroso. Ela disse "Me dá um pedaço", e eu ia dizer que nunca havia comido uma maçã.

A loira das pernas longas levantou os olhos e eu acho que ela sorriu um pouquinho devido a minha forma de falar. Morrendo de dó e excitado com aquela beleza quase nua, mesmo suja e assanhada dava para ver quanto era bela, entreguei a maçã como se não quisesse entregar, aquela fruta cheirosa e vermelha parecia para mim que tinha gosto de mulher. Ela mordeu a maçã, meteu os dentes na fruta e fez crac bem perto de mim. Minha boca se encheu de água, parecia que eu também tinha mordido a maçã junto com ela. Aí ela devolveu a fruta. Olhei a marca dos seus dentes e mordi no mesmo lugar. Senti na minha boca um pouco da boca dela e fiquei vermelho e excitado, mas com a escuridão ela não viu essa alteração na minha face, ficou mais corada mas ainda estava um pouco suja de carvão.

Geraldo veio em minha direção ao ver o que eu estava fazendo. Os dois começaram a recuar para o fundo escuro. Dei mais uma mordida e joguei a maçã para ela. A mulher olhou para mim agradecendo, e nem podia imaginar quanto de vontade eu estava de comer aquela fruta doce vinda de outro mundo. Quando Geraldo chegou, eu já tinha me afastado.

— Puta que o pariu. Você quer me ferrar? É? Sabe quem são esses aí? Sabe? Se alguém te vê aqui eu tô frito. Cê é doido?

— Eram os guerrilheiros? Caramba! — eu disse caindo na real.

Geraldo se descontrolou e me tirou rapidamente de lá.

Empurrava a bicicleta com as cadeirinhas sem necessidade, como se sentisse vontade de me castigar, mas não podia porque os outros soldados perceberiam. Passamos novamente pela entrada onde havia os dois soldados prontos para atirar em qualquer um que tentasse uma bobagem, temendo que ele me fizesse alguma coisa de ruim quando a gente saísse dos olhos deles, paramos sobre a pequena ponte de madeira, onde embaixo corria uma água esbranquiçada por causa do sabão de sebo usado pelas lavadeiras. Ele então disse:

— Vou voltar daqui. — Mensurou se o vento levaria nossas vozes até os soldados, percebeu que não ouviriam a gente, criando um suspense desnecessário, e voltou a ficar puto comigo. — Se acontecer alguma coisa comigo porque você foi mexer com os guerrilheiros você me paga, ouviu? Você me paga se alguma coisa rolar pra mim.

Senti o frio nas minhas costelas daquele matagal gelado e cheio de escuros por causa da noite que tinha chegado de vez, um trecho mal iluminado de quase escuridão total da minha rua que nem rua era.

— A guerrilheira é uma mulher bonita, né?

— Puta que pariu. Te enfeitiçou. Agora você acreditou, né? Se gamou nela.

— Num gamei nada. Mas ela estava nua, quase nua, nem era valente assim e o homem nem era forte nem nada. Aqueles ali não matam ninguém, nem roubam galinha... — Repetia um ditado do meu pai.

Geraldo se alterou mais, seu braço na tipoia subia e descia descontroladamente.

— E daí que são desse jeito? É tudo disfarce. Vacila pra você ver. Eles te matam na hora.

— Não acredito nisso.

Eu duvidei de propósito. Estava apaixonado pela guerrilheira.

— Ah não? Dá licença, ô... Você acabou de ver os miseráveis e ainda duvida? Amanhã aqueles porcos tão enterrados. Num lugar para ninguém encontrar o corpo deles. Hoje mesmo eles vão desaparecer. Se acontecer uma cagada porque você viu os guerrilheiros, você me paga.

— Eles vão morrer?

Geraldo demorou para responder.

— Cê acha mesmo que vão mandar eles para serem julgados em São Paulo? Imagina. Ninguém deixa esses safados vivos não. A gente tem ordem de matar todos eles. Vai parecer que foi uma fuga, mas vai ser tudo armação, uma caçadinha só pra justificar.

— Caramba...

— Viu onde você está se metendo? Você viu a cabeça dos guerrilheiros, não viu? Então? É assim que a gente faz com eles e com quem ajuda eles. Quem ajuda os guerrilheiros também é morto. Entendeu?

— Eu não fiz nada. Eles vieram falar comigo, juro. Nem me fizeram ameaça nem nada e não vou falar pra ninguém. Juro.

Foi o maior medo que eu já passei na vida e o mais difícil foi relacionar aquelas cabeças cortadas àquela bela guerrilheira.

***

Entrei em casa vermelho de excitação por causa do segredo dos guerrilheiros e ao mesmo tempo sentindo as ameaças do Geraldo batendo dentro da minha cabeça dizendo para eu ficar de bico calado para não perder minha cabeça, ser degolado e ficar como aqueles guerrilheiros do saco de estopa. Era difícil segurar uma notícia bomba daquelas quando todo mundo estava em pânico porque sabiam de guerrilheiros presos na cidade. Os militares não escondiam esses assassinatos, a tortura era pública para a população ficar com medo e não apoiar os terroristas. Dentro do meu quarto reinava um silêncio de morte onde Victor que mal respirava esperava todos os dias um socorro aéreo que nunca acontecia, estávamos no ápice da luta contra os guerrilheiros e não havia vagas para o transporte de civis nos aviões.

Deitado na cama sobre os tum-tum-tum do papai cavando o seu grande buraco e tentando quebrar a maldita pedra, me virei para Victor e comecei a falar sobre a guerrilheira, falei muito baixo que acho que ele nem ouviu, porque ele não falava nem comia nem nada fazia mais de cinco dias, mesmo assim disse com a boca cheia que tinha visto a mulher mais bonita do mundo. Meus olhos se fechavam e em vez do mundo se acabando vinha a imagem da guerrilheira loira mordendo a maçã e Geraldo falando que ela ia morrer. Num impulso, estava fora da cama com uma lanterna apanhada na cozinha, fiz passos de gato que ninguém ouvia, nem um gato, e ganhei a rua vazia de gente com medo dos ferozes assassinos, as escolas noturnas sem aulas, o guarda no prédio do INPS do lado de dentro da porta trancada, a missa suspensa, e eu andando pelo deserto de pessoas bem tranquilo porque era o único ali a saber que os guerrilheiros não tinham condições de fazer mal a ninguém, e que precisavam urgentemente de ajuda para não morrerem de fome.

Dentro da noite veloz

Sentia o vento no meu rosto e não havia vento varrendo as ruas. Andava voando. No oco do escuro inerte que separava o céu da terra eu corria com os pés suspensos para não fazer ruído como se estivesse flutuando, para não acordar as almas dormindo nas copas das árvores, mas elas me viram e voaram com suas mortalhas novas e engomadas me seguindo através desse vento que eu fazia. Estava tão decidido que não me dei conta dessa presença. Devia estar correndo sem saber quanto corria, porque quando tive de diminuir a marcha, foram rareando as casas e os postes iluminados e restaram as quintas e capoeiras encobertas de azul negro nos reflexos de bilhões de estrelas, eu não tinha mais saliva na língua e o meu pulmão parecia pequeno para eu respirar. Estava tudo tão escuro, nem via o chão onde pisava, quando cheguei perto do aeroporto e me deparei com um jipe em cima da ponte, exatamente onde eu esperava que passaria tranquilo, naquele trecho só tinha mato de um lado e do outro da ponte. E se eu não encarasse um mato daquele com toda a escuridão que estava? Tinha de achar coragem para enfrentar os demônios da noite, que ficam na floresta e são diferentes das almas que moram no cemitério de dia, e de noite na copa das árvores, são demônios de olhos de fogo, demônios que pegam sua alma para levar para o inferno. Quem já foi à missa na infância sabe o que é isso. Senti que as almas que me acompanhavam imediatamente me deixaram, mas ficaram ali por perto, esperando um novo fio de vento que as levasse de volta às suas árvores. Ou me esperando para me levar voando com elas, como uma delas, caso não desse certo o meu plano.

Os soldados conversavam fumando, dava para ver o rosto deles com a claridade da brasa do cigarro. Não tive escolha e entrei no mato escuro me cagando de medo, me preparando para encontrar os monstros demoníacos com chifres e olhos de fogo. Do lado esquerdo da rua havia mato fechado, onde eu estava, e no lado direito havia uma quinta por onde passei me abaixando entre os fios de arame farpado, aquilo quando pega nas costelas arde e dói, comecei a andar no nada e avistei uma trilha e o contorno das árvores ao meu redor, até porque as estrelas têm uma luz forte, uma luz violeta, e logo comecei a ver as árvores, a cerca de arame sumindo no mato, um cavalo pastando, uma coruja voando, as moitas onde bichos cantam, e acabei virando também uma silhueta negra como as outras coisas na terra. Enfiei a lanterna no cós da calça e fui caminhando com os pés altos, temia pisar numa cobra. O pasto acabou e a luminosidade das estrelas sumiu quando entrei na mata de forma a nem ver a trilha, nem o meu nariz enxergava, para chegar ao riacho que só servia para as mulheres pobres ganharem o pão esfregando roupas sujas dos outros no lajeiro para economizar sabão. Senti a água fria do riacho molhar meus pés e não tive mais coragem de seguir. Os soldados estavam tão perto que pude ouvir o que conversavam e num impulso entrei no riacho pensando em sucuri, jacaré, em algo que tivesse dentes afiados, um monte de bicho que podia estar de tocaia naquela água, mas pensei que se as lavadeiras viviam ali então não tinha nada de mais, até ficar com a água na cintura. Do outro lado do riacho só encontrei mato e nada de outra trilha que me levasse para dentro do aeroporto. E agora?

Nem deu tempo de pensar o que faria e ouvi um tiro. Vinha do lado do aeroporto. Um puta tiro que a mata toda se mexeu. Os bichos agourentos, sapos e corujas gritaram, pererecas sendo comidas por cobras, e eu não sabia para que lado correr. De repente, mais um tiro e algo veloz e desconhecido zuniu perto de mim cortando folhas como se fosse um raio negro e invisível, e em seguida, nem deu tempo de eu me assustar, uma rajada de metralhadora. Aí caí na real de que estavam matando os guerrilheiros como o Geraldo disse. Eu havia chegado tarde para salvar a guerrilheira faminta e fugir com ela para bem longe daqui.

Afundei na água gelada. Segurei a lanterna pensando em usá-la para fugir, mas ouvi barulhos de pessoas andando na água e vi vultos em minha direção no sentido oposto à ponte. Comecei a nadar de volta e fugir daquele inferno, mas os vultos me alcançaram antes e comecei a rezar porque sabia que ia morrer. De repente, vi mechas de luz azul das estrelas nos cabelos longos e loiros da guerrilheira e num impulso acendi a lanterna e pum, era ela mesmo, com os olhos assustados, o guerrilheiro em pânico com um pedaço de pau nas mãos pronto para me atacar. Bateu na minha mão e a lanterna caiu na água.

— Sou eu. Vim ajudar vocês — disse em voz alta para eles me reconhecerem.

— Ajuda a gente a sair daqui — sussurrou rapidamente o guerrilheiro.

Senti as mãos quentes da guerrilheira assustada segurando meu braço gelado e molhado e ouvi o guerrilheiro sussurrar "Nos leve para o rio".

Ouvimos passos correndo na água, vindo rapidamente para cima da gente, os soldados do jipe gritaram, começando a entrar na mata com suas lanternas. Não tinha mais escapatória. Estávamos cercados. Ouviram nossa voz e a luz da lanterna. Mas não atiraram. Pensei na possibilidade de sair ileso dali, agora que eu tinha os guerrilheiros comigo, nada nos venceria. Afundamos na água embranquecida pelo sabão de sebo das lavadeiras e as luzes das lanternas voaram sobre as nossas cabeças. Começamos a descer o riacho para tentar furar o bloqueio dos soldados passando por debaixo da ponte, rastejando em pedras e muito galho de mato, e de repente o barulho de um sapão fez o chão tremer novamente. Imediatamente a escuridão da mata recebeu um *flash* de luz bem na nossa frente vindo de um helicóptero. Clareou os soldados na ponte em nossa direção. Pensei que a guerrilheira dos cabelos loiros, das pernas compridas, a fera que o Geraldo falava que tinha armas até nos pés, que matava somente com o olhar, poderia matar todos aqueles soldados de uma só vez, ela sozinha daria conta do recado.

Então um bando de porcos que dormiam em suas tocas lamacentas, bem na margem do rio para se refrescar do calor, saiu das tocas correndo, um bando imenso de porcos grandes nos atropelou gritando muito alto. A guerrilheira gritou e seu grito foi abafado pelo barulho infernal do helicóptero tentando nos encontrar na mata fechada. Vimos os soldados apontando suas metralhadoras para atirar em nossa direção e imediatamente eu os puxei para as tocas onde os porcos estavam. Os soldados dispararam contra os porcos achando que fossem a gente com as metralhadoras cuspindo fogo e terror bem acima das nossas cabeças. As tochas de fogo que saíam das metralhadoras clareavam nossas caras aterrorizadas e as cascas dos cartuchos quentes que caíam sobre nós incandescidas chiavam na lama e queimava um pouco a nossa pele enquanto nos ajeitávamos naquele chiqueiro fedorento, nos cobrindo com aquela lama aquecida de onde os porcos tinham saído. Uma rajada de tiros que durou mais que a eternidade, até que os tiros cessaram e seu eco ficou ressoando na mata barulhenta e dentro dos nossos cérebros. A treva voltou cegando a gente. E uma tempestade de vento do ensurdecedor helicóptero, que víamos como uma nave espacial cheia de luzes. Arrancamos de uma vez como se combinássemos, rastejando entre soldados atordoados e a carnificina dos porcos e seus gritos agonizantes se debatendo na água, encobertos pela escuridão e a fumaça das explosões dos tiros. Fui na frente pelo mesmo caminho por onde vim, chegamos na trilha e deixamos o mato enquanto os soldados ainda se perdiam iluminando a cara um do outro. Quando nos deparamos com o céu de luz azulada pelas estrelas, fazendo da gente uma mancha preta de lama correndo como se fôssemos animais pastando entre os jumentos, foi como se tivéssemos certeza de que o helicóptero nos alcançaria antes de voltarmos novamente para a mata margeando o rio, do outro lado da rua, e perto da ponte onde o jipe e os soldados miravam para todos os lados esperando um sinal dos guerrilheiros.

No meio da gritaria dos soldados, xingando por descobrir que aquela sangueira toda na água e na lama era somente dos porcos, uma metralhadora disparou e ouvíamos as balas rasgando tocos e folhas. Zuniam no escuro acima de nós e tivemos que rastejar. Se eu andasse naquele lugar durante a luz do dia já teria tropeçado, uma topada no dedão, mas nos arrastamos sobre formigões, cobras e tudo quanto é bicho de chão, emporcalhados de lama fedorenta, sem sentir os incômodos todos, parece que nessa hora de escapar da morte a gente fica com o corpo dormente, tínhamos de escapar enquanto os soldados descobriam que só havia corpos de porcos mutilados no lugar da gente.

O helicóptero nos farejou e começou a voar em nossa direção. Começamos uma corrida voando, não tínhamos nem pernas nem fôlego para uma disparada daquelas, ao lado da cerca de arame. Quando vi que estávamos distantes da ponte, mergulhei por baixo da cerca e atravessamos a rua escura sem medo de sermos vistos para ganhar o mato do outro lado, e o helicóptero chegando cada vez mais perto. No impulso da corrida e na cegueira que estávamos, nos jogamos no ar e rolamos para debaixo da cerca de arame que margeava a rua do outro lado, como se fosse um treinamento de militares para esse tipo de situação. Quando o helicóptero jogou suas luzes sobre a gente éramos apenas uns vultos de lama sumindo no território dos demônios, tempo suficiente para nos juntarmos ao lado de uma pequena moita entre cupinzeiros.

O bichão finalmente ficou sobre nós abraçados como se fôssemos um cupim de barro, dos muitos que tinha no pasto. Aquele motor arrebentando o ar, maior que um barco, flutuando tão perto que o chão tremia e todas as folhas e gravetos voavam à nossa volta, a lama fedorenta nos unia como uma graxa, acho que a gente parecia realmente um cupim de barro, se afastou para perto do monte desbravando o capão de mato com o vento de suas hélices e tudo virou breu, negro como uma uva-passa. Antes que o sapão desse uma rodopiada, deixamos de ser cupim, criamos vida e viramos sombras novamente. Em forma de vultos sem membros, pernas e pés, desembestamos numa trilha cheia de tocos e buracos, aranhas e cobras que perdiam o bote, éramos verdadeiras assombrações feitas de carne viva torturada querendo não morrer. Corremos, o guerrilheiro tomou a frente, a guerrilheira atrás de mim não gemia, nem pedia para pararmos, e nem eu.

Na correria no escuro, levamos mais de uma hora, de relógio seriam umas duas horas de corrida, nos arranhando em tudo por uma trilha que não era trilha, só um capim assentado, usado por gados, ora ou outra nos aproximando do riacho.

O guerrilheiro achou melhor a gente não parar enquanto tivéssemos forças, mesmo sem saber para onde íamos, os soldados deveriam descer também o mesmo riacho e nos encontrar. A toda hora a mata ressoava o barulho infernal do helicóptero voando como barata tonta para perto da gente. Eu dava o aviso primeiro, ouvia antes. Não só via melhor no escuro como conhecia o cheiro de cobra venenosa, jaracuçu e jararacas. Aos poucos o som daquela máquina de matar se distanciou. Eu atiçava os ouvidos e me exibia para a guerrilheira. Acho que o guerrilheiro não acreditou muito, não parou o passo até surgirem os primeiros raios de claridade ofuscando a luz estelar. Uma mudança ocorrendo no céu negro que nos protegia do pesadelo chegando ao fim. Um despertar quando o mundo estava se acabando em bombas nucleares. Russos e norte-americanos prometiam destruir o mundo se entrassem em guerra. Naquele instante eu unia o mundo real aos sonhos sem consciência disso.

Na barra do céu estrelado começou a surgir uma chama vermelha de uma imensa fogueira. Aquilo eu conhecia. No Pindaré via o dia nascer separando bezerro no curral para papai tirar o leite. Mais um dia sem nuvens no céu, um dia quente. A claridade aos poucos nos dava traços, revelando quem era quem, mas não vimos um a cara do outro por debaixo da lama, realmente estávamos parecendo cupins de barro feitos de merda. Naquele passo apressado e preocupado do guerrilheiro à nossa frente, eu no meio e a guerrilheira atrás, ela não precisava mais segurar minha mão para não cair, parecia que eu enxergava melhor na escuridão, ela tinha um jeito tímido, e ele, o jeito militar de andar e mandar nos outros. O alvorecer que se anunciava revelava também o terreno onde a gente fazia a jornada rumo ao Tocantins, de um lado a mata do córrego e do outro o sertão molhado de orvalho, uma grande planície onde morros de pedras pareciam pedras gigantescas fincadas na planície.

— Há soldados por todos os lados. Precisamos nos esconder mais perto do rio. Vamos nos arriscar — disse o magrelo barbudo, com as costelas aparecendo.

Paramos para tirar o fedor da lama cheia de bosta de porco, fedia tanto que não dava mais para ficar com aquilo cobrindo a gente. O dia clareou por inteiro, ainda sem sinal do sol. Ficamos os três frente a frente e ele falou tecnicamente, se apresentou como Osvaldo, ela como Diana. Não via a hora de pôr os olhos na loira que se escondia debaixo daquele fedor, se ela era de matar mesmo, bonita como diziam. Ele? Era difícil até de imaginar que alguém magricelo e machucado pudesse ser e agir como um guerrilheiro sanguinário. Segundo o Geraldo era tudo disfarce. Qualquer hora eles mostrariam suas verdadeiras faces. Quem sabe quando tirassem a lama.

Osvaldo, usando um *short* esfarrapado e nada mais sobre a pele, gemeu quando se dobrou com as águas nas pernas para se lavar. Primeiro lavou o rosto, depois tirou a lama do cabelo, ficou apreensivo e se levantou. A guerrilheira tirou o pano que cobria o seu corpo e percebeu se tratar da bandeira do Brasil, por ironia o símbolo da ditadura militar que dominava o país na época e que queria matá-la, e deixou visível suas curvas e os seios brancos e fartos sem lama. Corei, mas não escondi o rosto. A guerrilheira, sem ligar a mínima para a minha presença e a do guerrilheiro que vigiava tudo em volta, tirou a calcinha para lavar e ficou totalmente nua, pelada como nasceu, com a água abaixo da cintura. Eu não conseguia não olhar. Nem piscar. Uma fina camada de fumaça por causa do frio da manhã cobria o riacho, e o corpo quente da guerrilheira foi iluminado pelos primeiros raios do sol da manhã. Da sua pele branca saíam fumacinhas. Ficou de pé na minha frente, de frente para mim, mostrando todo aquele negócio cheio de pelos loiros.

Diana torceu a calcinha e tornou a vesti-la. Não aguentei mais e me joguei na água feito um tolo, fazendo barulho, deixando o guerrilheiro furioso. No fundo do riacho de água cristalina, comemorei sozinho o que acabara de ver, finalmente uma mulher nua, e soltei um sorrisinho de conquista.

Diante de nós mais limpos, o imenso platô, tão alto quanto as montanhas que tocavam as nuvens, que eu disse que teríamos de subir, com alegria como se não estivesse sendo procurado por soldados cortadores de cabeça, depois daquele imenso elevado e descampado, com pouca árvore, já que o riacho antes de entrar no Tocantins tinha gente morando perto. Iríamos fritar no sol antes de o helicóptero nos pegar, e mesmo assim, com essa tensão toda, eu não conseguia esconder meus dentes de fora como se estivéssemos em um passeio. Até aqui, tudo bem.

* * *

À espera de um ataque surpresa por terra ou por ar, porque a capoeira não tinha árvores com grandes copas, o guerrilheiro, que mancava de uma perna, tapava uma ferida no joelho com folhas, reclamava que não tinha uma arma, um revólver, mas não das dores no corpo por causa da tortura que vinha sofrendo esses dias todos, meu lanche tinha sido a única refeição em dias, nem reclamava do mato fechado arrancando mais pedaços da gente, até entrarmos em uma tapera com um pouco mais de dez metros quadrados, um puxado só, a cobertura de palha estava pela metade, cercada com talos de buriti, serviu para quando aquilo era uma roça, agora nem os animais, jegues e gado usavam mais, até aquele ponto ele agiu como se as dores no seu corpo não existissem. Diana não tinha tantos machucados, alguns hematomas na pele, arranhões nos braços e no rosto como eu, parecia desleixada com seu cabelo assanhado, a calcinha rasgada, os seios soltos sob a bandeira, tudo sob a minha vista sem eu poder olhar. Enquanto ele se segurou para não desabar, ela se jogou no chão, cansada, com fome e sede, ao lado de um jirau quebrado com dois pratos de plástico encardidos, e embaixo, no chão onde cresceu um formoso pé de deliciosos canapuns, alguns apelidam o canapum de saco-de-bode, num canto, uma trempe de pedra tomada de capim, e uma panela de alumínio preta e furada, o palácio que eu tinha escolhido para esconder a minha guerrilheira.

Osvaldo, incomodado com os machucados em cima dos machucados, arranhões em cima das marcas roxas de pancadas e as feridas feias, abertas, com beiços, de choques elétricos e bitucas de cigarro, inflamadas, deixou impaciente a tapera mal coberta, mal cercada, mas bem escondida dentro do capinzal, não dava para se descobrir sem chegar muito perto, e subiu gemendo em um toco para ficar mais alto, da capoeira que ficava em cima do platô, na parte mais alta que dava para ver o rio correndo lá embaixo como se fosse uma tripa prateada recortando o verde das florestas e as montanhas azuis a perder de vista, podia ver os soldados se aproximando de longe, mas seus olhos pareciam querer estar naquele lugar para apreciar sua beleza e não para se esconder dos caçadores de cabeças.

De um lado do platô, por onde a gente veio, começava o desertão, a palavra que originou o nome do sertão, terra de sofrimento para quem vive lá, onde as pessoas colocam *ão* em tudo que é maior do que parece ser e *in* naquilo que precisa ser menor do que já é pequeno. Pedrão, pedrin; morrão, morrin. Do outro lado o rio, nosso destino, e de onde eles tinham vindo, as matas da Amazônia. Chequei meus machucados, de longe se pareciam com os deles, minha camisa rasgada e ainda suja de lama dos porcos, todos tinham o fedor da mesma lama, me sentei perto da loira com bem menos hematomas e feridas, toda arranhada e encolhida, e aproveitei o jeito de medrosa dela sem o guerrilheiro estar olhando; peguei uns canapuns amarelos e bem maduros nascidos dentro da tapera e a salvo do bico dos pássaros, e entreguei a ela como dei um pedaço da minha maçã e disse "É doce". Me virei para Osvaldo voltando para dentro da tapera, escondendo imediatamente meu rosto um pouco avermelhado de vergonha.

Osvaldo se agachou franzindo a testa para segurar a dor como um roceiro se agacharia e pegou no cabo de um pedaço de facão sobre o chão poeirento. Bateu numa pedra para tirar a ferrugem como se segura uma arma e não uma foice.

— Onde estão as armas de vocês, as metralhadoras?

Ela sorriu. Ele, sério.

— Que metralhadoras? — ele me devolve a pergunta.

— A que vocês usam para matar os soldados. Onde elas estão?

— Nossas armas estão com os nossos companheiros. Não temos metralhadoras.

— E como vocês matam os soldados? — perguntei ingenuamente.

— Com revólver, espingarda, nós ainda estamos iniciando nosso projeto.

— Mas vocês são os guerrilheiros mesmo, num são?

Ele me respondia tecnicamente, mas Diana me disse sorrindo "Claro". Suspirei, alegrei os olhos e perguntei todo animado:

— Pra onde a gente vai agora?

Eles pararam de mastigar os canapuns e olharam abobados para mim.

***

Diana em nada se parecia com uma guerrilheira. Ela parecia do tipo que corre com medo de sapinho. Tinha traços de italiana como os do frei Aquiles e os olhos profundos e azuis, mas não tão tristes como os de dona Maria Alice. Tão bela como uma manequim de revista, mesmo com machucados no rosto e nas pernas, os pés sangrando, o cabelo loiro sujo e desalinhado, mesmo tudo isso ofuscando sua beleza escondida, não conseguia ser feia. Nascida em Santos, em São Paulo, ingressou na guerrilha havia menos de um ano, e era conhecida com o apelido de Gaúcha, trabalhou como professora e depois foi obrigada a viver na roça para fazer o treinamento pesado de adaptação à dureza da selva. Preparava-se para uma batalha iminente no futuro, quando foram surpreendidos pelo exército. Já Osvaldo, apesar de magro e de se parecer um padre, um seminarista, estudava filosofia no Rio de Janeiro e se dissesse que era coveiro todos acreditariam, um santo com sangue-frio, capaz de sangrar um sujeito pela garganta sem tremer as mãos. Vivia na região, disfarçado de trabalhador braçal oriundo da Transamazônica. Era um patriota, comunista mesmo, mas Diana não, até planejava deixar a guerrilha antes de o conflito começar, antes de serem descobertos pelo exército. Os dois entraram para a guerrilha achando que podiam mudar o mundo daquele jeito, com ideias e não com armas, como faziam nas cidades, mas a realidade encontrada na selva reverteu suas realidades, todos eles.

Os cerca de setenta guerrilheiros faziam parte do PCdoB, um partido proscrito pela ditadura militar, na maioria formada por jovens, estudantes ou recém-formados, que não aceitavam a realidade da época; o país sob o regime de ferro da ditadura militar, a opinião pública sob censura e quem se opunha ao regime era preso e torturado, muitos morriam nas masmorras da ditadura. Instalaram-se aqui na região como pequenos comerciantes e roceiros, escondendo de todos os treinamentos para uma futura luta na selva para derrubar esse regime, mas o confronto acabou acontecendo mais cedo do que esperavam. Lutavam como fanáticos, por isso eram comparados com os seguidores de Conselheiro em Canudos, inspirados numa ideologia maoísta, baseados nos fascinantes princípios revolucionários e socialistas de Mao Tsé-Tung, que havia motivado Che e Fidel a tomarem o poder em Cuba. Eles pretendiam realizar a mesma façanha aqui no Brasil. Lutavam e morriam para derrubar a ditadura e implantar o regime comunista de igualdade entre as pessoas. Uma utopia. Fidel tinha feito isso, juntando um punhado de camponeses pobres, e formou um exército que derrubou o governo militar de Cuba e implantou o comunismo.

Para o exército, os guerrilheiros ocupavam uma imensa região de selva quase do tamanho da Itália, na verdade se concentravam em uma área bem menor, às margens do Rio Araguaia, no lado do Pará. Os comunistas que se instalaram inicialmente às margens do Tocantins migraram para a área de combate na selva, próximo às cidades de Marabá e Xambioá, na região de mata. Dividiram-se em três agrupamentos, um em Caiano, outro no Rio Gameleira e outro no Faveiro. Cada agrupamento se dividia em blocos menores formados por sete ou oito pessoas, unidos por uma estrutura de organização militar, cada grupo possuía seu comandante e vice-comandante e regras rígidas que deveriam ser cumpridas a todo custo sob pena de serem punidos por um tribunal dos próprios guerrilheiros.

Diana e Osvaldo pertenciam ao destacamento B, o mesmo de José Genoino, um dos sobreviventes do massacre, capturados e caçados como animais para se comer, pegos com faro de cachorrinha vira-lata, as cachorras enfrentam uma onça-pintada, os cachorros se mijam no primeiro urro, e com uma chuva de chumbo 3T da CBC das espingardas vinte, quando já estavam desestruturados e sem munição, doentes e famintos, acuados nas impenetráveis montanhas cobertas de floresta, numa guerra de terror e alucinação e não de batalhas.

Naquele momento, o movimento estava destroçado, mas Osvaldo queria voltar e ajudar a salvar os companheiros. A guerra era injusta porque o exército não agia como se estivesse em uma guerra e escondia suas ações, como se aquele conflito não existisse, e ele queria se tornar uma pessoa ausente do mundo novamente voltando para a guerra que ninguém conhecia, mesmo sabendo que iria morrer, mas por uma causa. Isso para ele era o motivo de tudo. O exército escondeu e esconde até hoje a ordem de eliminar todos os guerrilheiros, cortar suas cabeças e sumir com os corpos. Talvez nunca tenha posto em um papel a ordem de que nenhum comunista deveria ficar vivo, mesmo os presos, e até mesmo as provas de suas existências deveriam ser eliminadas. Um extermínio macabro acontecia e ninguém sabia. Quando os militares perderam duas batalhas contra os guerrilheiros contrataram mateiros e pistoleiros, pagando em dinheiro por cada cabeça de guerrilheiro trazida. Eles retornavam com seus cachorrinhos satisfeitos, suas armas enroladas em couro de veado, a rede amarrada nas costas, e cabeças de guerrilheiros ou guerrilheiras dentro de sacos de estopa ou cofos de palha de babaçu, e entregavam ao major Curió, a figura emblemática que fazia o papel de líder nazista naquele campo de concentração que se tornou a selva onde se escondiam mais de quarenta guerrilheiros desorientados.

Diana era companheira de outras guerrilheiras como a Walquíria, amiga da Rosa, Áurea e Regina, algumas das mulheres que deixaram o cômodo da cidade para lutar nas piores condições possíveis, onde uma pessoa comum, sem preparo, não sobreviveria. Seria consumida pelos insetos antes de encontrar uma onça faminta. Áurea morreu aos farrapos, sem mais carnes no corpo, mas sem se entregar; Walquíria, conhecida como Val, foi presa e fuzilada pelo exército logo no começo da luta; Rosa, estudante de filosofia, foi presa por caçadores e transportada para a mata de helicóptero e fuzilada com mais dois guerrilheiros em local nunca descoberto; Regina foi vista ferida, provavelmente muito torturada, em uma base do exército, mas nunca seu corpo foi encontrado. Dinalva, a mais famosa de todas as guerrilheiras, virava fumaça quando os soldados a cercava, era uma lenda temida, sacrificava até os companheiros se fosse preciso.

Dinalva, que era formada em geologia e membro da Sociedade Brasileira para o Progresso da Ciência, ajudava a população como parteira; presa no fim do conflito quando não tinha mais armas para lutar e os companheiros quase todos já tinham sido dizimados, foi fuzilada a sangue-frio pelo atraente agente Ivan, que tinha pinta de Sidney Magal. No momento de seu fuzilamento ela pediu para morrer de frente e olhando nos olhos de seu executor. Depois daquele dia o agente nunca mais conseguiu tirar sua imagem da cabeça. No dia em que o agente Ivan foi enterrado, sua filha pôs um pôster do Che Guevara na parede de seu quarto em homenagem ao pai, que se apaixonara por uma guerrilheira na hora de sua morte. O corpo de Dinalva nunca foi localizado.

Outra lenda viva da guerrilha se chamava Osvaldão, um negro de quase dois metros de altura, calçava sapatos número cinquenta, não achava para comprar e mandava fazer sob encomenda, campeão de boxe no Rio de Janeiro pelo Botafogo, havia treinado guerra de guerrilha no Leste Europeu, mas um sujeito risonho e boa-praça que se tornou realmente um amigo do homem simples da mata. Era bom atirador e diziam que andava para trás, para confundir os soldados, e que bala não furava seu corpo. Quando morreu, os militares içaram seu corpo em um helicóptero e sobrevoaram os povoados da região para demonstrar que ele não era imortal como diziam, e que sua lenda tinha acabado.

Depois de saber um pouco sobre suas histórias, contadas do jeito dele e entendida do meu, especialmente sobre as cabeças cortadas, as mesmas que eu vi rolando de um saco que caiu do avião quando eu estava no aeroporto, era para eu cair fora e salvar o meu pescoço, mas não. Sem saber ainda por que eles precisavam morrer lutando daquele jeito, continuei decidido a viver e morrer ao lado da guerrilheira loira mais linda do mundo.

— Vocês me levam junto? Levam, né? — Não podia ouvir uma negativa.

Osvaldo ficou sério.

— Você é muito jovem para se arriscar assim, sem mais nem menos. Nós nos arriscamos porque temos nossos objetivos. Seria prudente daqui para a frente a gente seguir sozinho — me disse o guerrilheiro para o meu espanto e olhei para a Diana esperando ajuda dela.

Osvaldo, com o toco de facão na mão, olhava da capoeira como se estivesse cansado demais para enfrentar todo aquele mato fechado, cheio de espinho e rama coceirenta, usando apenas o que tem nas mãos para enfrentar as metralhadoras, mas quando voltou o olhar estava novamente cheio de coragem. Se ele disparasse correndo a qualquer momento, eu correria junto.

— Não posso mais voltar. Preciso ir com vocês — disse implorando.

O chão tremeu ao som conhecido do sapão e em poucos minutos ele surgiu roncando sobre o rio e vindo em nossa direção. Cuidei de ficar perto da minha guerrilheira para o caso de a gente ter de se embolar novamente, como da outra vez que o helicóptero ficou em cima da gente. E deu certo. Num piscar estávamos em um canto da tapera, sentindo a quentura da sua carne e o cheiro do seu cabelo sem cheiro, só cheiro de mulher mesmo por baixo do cheiro de lama de porco, mas o helicóptero sumiu tão rápido quanto apareceu e seus olhos voltaram ao normal e Osvaldo se apavorou. Seus olhos se abriram como de um gato, e de coveiro ele virou um lobo magro, doente e perigoso.

— Tenho um plano. Vamos ficar aqui e buscar ajuda na cidade — disse olhando para mim. — Temos um contato nesta cidade. E você pode encontrá-lo para nós.

— Eu? Voltar na cidade? Num posso não. Se eu voltar eu tô morto. Tá vendo essas marcas? Num posso voltar não — implorei mostrando as cicatrizes nos braços de tanto apanhar.

Ele continuou sério.

— Presta atenção. Vai ser um contato muito perigoso. Você viu como eles estão nos caçando. Se eles descobrem que você está conosco é morte na certa. Entendeu?

Eu apenas balancei a cabeça e engoli seco.

— Mas eu vou voltar para a gente continuar fugindo?

— Claro. Não vamos sem você — me disse a guerrilheira antes de Osvaldo falar.

— Realmente não deve ter sido fácil aguentar tudo isso — disse ele olhando para mim de um jeito que dava piedade.

Eu sacudi com a cabeça que sim.

— Pois bem. Sua missão é voltar e procurar um contato na cidade. Tente se safar de todo mundo, se disfarce bem. Tente não ser descoberto. Não deixe eles te pegarem não. Eu sei que você é esperto. Tá bom?

Dessa vez eu não sacudi a cabeça não.

— Presta atenção. Temos um contato na cidade. Num barco. Você vai falar com ele e passar a nossa situação. Certo?

Me alegrei com a notícia de escapar pelo rio.

— Vamos fugir de barco?

— Vamos. É o único jeito. Há muitos soldados por aqui e não será fácil escapar a pé. Se o nosso contato ainda estiver na cidade, se não caiu nas mãos dos militares, nós temos essa opção de sair daqui dentro de um barco nesse rio abaixo.

Eles nem iriam fugir pelo desertão nem pelo desverdão, mas pelo meio dos dois, pelo rio venoso. O plano era eu voltar urgente e direto para o porto e procurar Santiago, o pescador que vivia em um barco ancorado naquele porto fazia algum tempo, todos deveriam conhecê-lo. O porém que me deixou preocupado era que se ele tivesse sido descoberto haveria no lugar dele um milico disfarçado.

— Não sei como ele é, branco ou preto, entende? O nome é Santiago, não esquece. O resto você terá de descobrir.

Eu fiquei frustrado, mas percebi que o guerrilheiro falava sério e que não adiantava discutir e ganhei a atenção de Diana que falou comigo de um jeito carinhoso.

— Mas agora você tem uma missão. Não é?

— Vocês juram que não vão me deixar?

Diana jurou. E se aproximou de mim, tascando um beijo no meu rosto. Fiquei vermelho em brasa. Osvaldo pegou a minha mão, se despediu sem dar tempo de eu dizer alguma coisa e praticamente me empurrou para fora da tapera.

* * *

Deslizava no meio da capoeira cheia de unha-de-gato, carrapicho, tiririca e unha-de-peba, como se fosse uma serpente e nada tocava mais na minha pele, eu parecia flutuar levando aquela marca de beijo no rosto. Continuava pensando naquele banho matinal da guerrilheira tirando a lama dos porcos e sentindo o contato da boca dela na minha pele, pensando em não ficar suado e tirar a marca invisível da guerrilheira assassina. Cruzei aquele imenso platô como se estivesse montado em um cavalo ou na minha potente *bike*, protegendo do vento o lado do meu rosto que ela beijou. Esqueci totalmente as recomendações de atravessar o platô com cuidado para não ser visto, pulando de moita em moita, de cupim a cupim, e não conseguia deixar de andar como se eu estivesse voltando para casa sobre nuvens.

Ciências de pescador

Gute saiu do botequim do Alfredim cambaleando, arrumando um lado da camisa fora do cinto para dentro, apalpou a gravata e o paletó desalinhado; antes de viver eternamente bêbado foi professor no colégio dos padres, desde que sua mulher o deixou por outro homem ele engordou e não lecionou mais, empurrou com os dedos o aro dos óculos para cima, deu alguns passos na calçada, uma subida, e finalmente se equilibrou. Olhou o tempo. Começou a subir aquela calçada, uma ladeira ligando o porto ao centro, e parou diante de um poste e perto de mim. Me ignorou e encarou o poste como se ele fosse uma pessoa. Meteu-lhe um tapa que pegou de raspão, mandando o poste sair da sua frente para ele passar. Como o poste não se moveu, o bêbado levantou o braço para dar mais um tapa, mas pendeu para trás e teve que se equilibrar para não cair. Quando voltou a ficar equilibrado estava do outro lado da calçada. Olhou de lado e viu o poste fora do seu caminho e achou que o poste tinha saído do lugar por causa do seu tapa. Caminhou ao lado do poste, se virou cambaleando e apontou o dedo:

— É besta fio duma égua.

Diante de mim parado olhando para ele e ganhando coragem para descer até o porto, levantou o dedo como se tivesse dando aula e disse:

— Aposto que dessa vez os russos mandam seus mísseis.

Ele não falou isso para mim não, ele falou para o soldado que estava em pé na garupa do jipe, com um binóculo, ao lado da metralhadora ponto cinquenta, uma imensa arma que fura tanque de aço, como se naquele porto onde só existia gente inocente, lavradores e pescadores, houvesse algum perigo que eu não via.

Se antes eu não havia ligado aqueles soldados com alguma coisa de ruim, dessa vez tive a sensação de que o binóculo do soldado no jipe me seguia e a metralhadora apontava para mim. O sol quente, os arranhões ardendo por causa do meu suor frio de tanta fome, sentia o fedor de merda de porco que emanava do suor, tudo parecia conspirar contra mim no meio daquela praça onde havia um posto de gasolina antes de chegar à margem do rio para encontrar o guerrilheiro e descer com ele em um barco para continuarmos nossa jornada ao lado da mulher mais bonita do mundo. Fácil. Acostumado a não mentir, a fingir de outra forma, fui obrigado rapidamente a disfarçar o nervosismo ou eu poderia cair nas mãos daqueles soldados excitados e desconfiados após o pampeiro que rolou na noite passada. Meu plano não podia falhar. Era a chance de fugir daquele mundo velho e atrasado para nunca mais voltar. O efeito do beijo da guerrilheira sumiu da minha face fria por conta do gelo que atingiu meu sangue vindo do medo que eu segurei quando passei perto de um soldado com sua metralhadora cheia de balas enormes, vigiando todo mundo que se aproximava do porto e dos barcos, um não, vários soldados observavam as pessoas entrando e saindo da imensa balsa de ferro que levava carros e passageiros de um lado a outro para não deixar os guerrilheiros escaparem, imaginei tudo aquilo atrás de mim e meu estômago secou. Quase tive uma tontura olhando para aquelas balas duras e pontudas que explodiram em cima de mim na toca dos porcos. Era quase meio-dia e eu ainda não havia comido nada. Nem dormido à noite. E nem dormiria a próxima provavelmente porque a fuga de barco levaria alguns dias descendo rio abaixo até a primeira cidade depois do Estreito.

Desviei dos soldados beirando o rio diante das canoas abarrotadas de melancia, galinhas e milho-verde, faziam pencas de grandes pacus e piaus vivos tirados de gaiolas dentro d'água e enfiavam um cordão de embira pelas guelras, agia como se quisesse comprar alguma coisa. Uma melancia se partiu ao cair no chão e ninguém quis, perguntei se podia comer e uma mulher afirmou com a cabeça. Coitados que nunca foram a um médico ou dentista encobriam os dentes podres com os beiços, gente que sofreu a vida inteira, que não tinha nada a ver com as mudanças no mundo, para eles o país ser governado por militares, russos ou norte-americanos dava na mesma, para o homem do rio o mundo mudaria quando mudasse a serventia do rio. Eu poderia ser um deles, vivi com eles quando estava no sertão e não foi difícil passar despercebido enquanto bisbilhotava entre tudo isso, soldados e metralhadoras, alguma possibilidade de encontrar o tal barco do Santiago.

Havia uns seis barcos, dois grandes, um médio e três menores logo depois das canoas. Em um deles, moleques subiam e pulavam de cabeça de cima do toldo. Depois passavam mergulhando por debaixo dos barcos, que aqui chamamos de motor, e saíam no meio das canoas. Pulavam do barco porque alguém estava dormindo na popa, na área onde fica o fogão e o leme, e não na área fechada que toma todo o meio do barco, se o sujeito estivesse esperto não deixava a molecada fazer aquilo. Estava com as pernas de fora de uma rede e um braço segurando uma linha de pescar nas mãos, de espera, provavelmente sem isca no anzol, sem se importar com os moleques, então não ligaria se me intrometesse. De repente, um braço pendeu da rede e deixou cair um livro.

Subi no barco com facilidade, cresci andando em cima de um, era em um desse que íamos e voltávamos do Pindaré, passei a mão no rosto no lugar onde Diana beijou, não tinha mais a mesma sensação erótica grudada em mim, andava com as pernas e o coração cheio de baticum, coragem eu não tinha, e encontrei na proa dentro da rede um rapaz de barba longa, olhos profundos, mas muito novo, devia ter vinte e poucos anos. Levantou, pegou o livro e tentou esconder dentro da rede, eu fiz que não vi seu susto comigo ali dentro. Nunca na vida um barqueiro ou um pescador leria um livro, a Bíblia até vai, mas livro nunca.

— Tá querendo alguma coisa? — Me olhou com cara de sono e aborrecido.

Mas aí antes de responder pensei que ele também pudesse ser um soldado, pois os soldados estudam e leem livros. No livro dele estava escrito Mobral e eu não sabia o que significava Mobral. E se ele fosse um deles disfarçado de pescador e não o guerrilheiro? Como eu iria saber? Deu medo e vontade de não perguntar nada, sair pedindo desculpas por um engano e me mandar.

— Que foi, perdeu a língua?

— Não perdi não. Eu queria pescar. Tá cheio de bicudas ali, ó, dá pra ver elas quase na flor da água. Mas eu não tenho anzol nem linha comigo agora, esqueci lá em casa. O senhor tem mais uma linha pra me emprestar? — Foi a desculpa que veio em mente.

— Nunca vi alguém emprestar linha de pescar. E com esses moleques pulando não tem quem pesque direito.

— Claro que empresta. Se engarranchar e perder a linha tem de dar outra. E os piaus que ficam no meio das pedras e das locas do lajeiro no fundo do rio não se preocupam com quem está nadando. E aqui tem muito piau.

Ele tirou rapidamente a sua linha de pescar de dentro da água. Provavelmente nem isca tinha, era só um disfarce. Desconfiou de mim e fiquei nervoso, mas ele me surpreendeu.

— Pegue esta aqui, e tem miolo de pão aí.

Achei que ele ia me expulsar. Caiu na minha conversa. Peguei o carretel de linha com um chumbo e um anzol na ponta, pus o pedaço de pão, ridículo se pescar com aquilo, e joguei a linha na água, ele me olhava desconfiado, rindo disfarçadamente, e eu tentando esconder minha roupa em frangalhos e meu cheiro de bosta de porco.

— Como você se chama?

Me assustei com a pergunta e ele desconfiou mais. Podia ser um militar disfarçado e eu não podia me entregar assim de vez. Mas na hora não consegui mentir. Tinha problemas com mentiras, por isso nunca mentia sem necessidade e nas horas importantes, e dei meu nome verdadeiro para o militar se passando por pescador no lugar do guerrilheiro, que a essas horas já tinha matado o Santiago e tomou o lugar dele para pegar os outros guerrilheiros.

— Daniel.

— Daniel. Quem sabe você não me dá sorte, não peguei nada hoje — disse ele acreditando na minha franqueza e sendo simpático porque eu estava mais desconfiado do que ele.

Nada no barco lembrava alguém que pesca. Eu havia caído em uma armadilha. As redes de pescar rasgadas e emboladas num canto não tinham serventia nenhuma, ninguém usava mais aquelas redes velhas. Tentei disfarçar o meu nervosismo falando de pescaria, do que eu realmente entendia, enquanto ganhava tempo para dali de cima pular de uma vez só dentro da água, mas minha cabeça ele não levaria como prêmio.

— É que pão a esta hora não é uma boa isca — continuei mais seguro sendo o que eu era.

— Então você é um pescador de verdade mesmo?

— Claro!

Disse com convicção que os peixes não gostam de pão. Peixe nenhum gosta. Naquela hora, passando do meio-dia, é o momento de pegar as cachorras e piabanhas, peixes de escama, que vivem na flor da água. Se fisga esses peixes dentuços usando como isca a gordura dos fatos de porcos que as mulheres tratam sentadas com metade do corpo dentro d'água, e a bunda dolorida nos pedaços de concreto do que sobrou da obra de cimento do porto construído fazia mais de cinquenta anos. A banha, por ser uma gordura, boia sobre a água atraindo esses peixes que vivem na superfície, como as ferozes bicudas. Já se a pescaria for de manhã ou no final da tarde o melhor seria escolher uma seva, aí usamos milho como isca para pegar pacus e piaus, são peixes que se alimentam da vegetação que cobre as margens do rio, como a gameleira, se alimentam no mesmo turno que os pássaros, de manhã e no final da tarde, mas quando já está escurecendo usamos a minhoca para pegar mandis e barbado, peixes de couro, que ficam bem no fundo do rio, com a barriga na terra. À noite, a isca viva, pequenas piabas, são as melhores para se pescarem pintados e dourados. Além disso, cada peixe tem uma forma de tentar te enganar quando pega o anzol. É uma luta do conhecimento do homem contra o conhecimento do peixe.

Quando um rio começa a morrer em função dos desmatamentos e assoreamentos, os primeiros peixes a desaparecer são os que vivem na superfície e dependem das suas margens.

— Tô vendo que você manja mesmo do assunto.

Ele falava um vocabulário da moda. E não sabia nada dos peixes. Como um pescador não sabia daquilo que eu sabia? Não havia dúvida mais.

— E você é pescador mesmo? — perguntei de um jeito nervoso que ele desconfiou de vez.

— Claro que sou. Toda semana subo o barco à procura de cardumes. Mas esses dias eu preciso ficar por aqui, não posso arredar o pé não.

— Como é o seu nome?

— Por que você está tão curioso? — subiu a voz.

— Você é o Santiago?

O sujeito amarelou. Recolheu rapidamente a linha de pescar e mandou eu fazer o mesmo sem explicar. Eu obedeci tremendo as mãos, olhando para os soldados armados, calculando naquelas olhadas de um lado para o outro o tamanho do pulo que teria de dar dali para um facão e ele percebeu. Ficou muito perto de mim, olhando nos meus olhos mais assustados que os dele, e me perguntou calmamente como eu sabia o seu nome, um apelido antigo, e eu disse que tinha amigos conhecidos dele. Minhas pernas tremiam.

— Vamos logo, garoto, quem mandou você procurar o Santiago? E quem são esses amigos?

Eu entalei de precisar beber água, e a seco demorou a sair uma pergunta ao invés de uma resposta.

— Você não é pescador não. Não é?

— Claro que sou pescador. Meu apelido é Santiago. O que você queria saber? Vamos lá, desembucha. Quem é você?

— Você conhece umas pessoas chamadas Diana e Osvaldo?

O falso pescador arregalou os olhos, pegou no meu braço e me puxou para o interior da embarcação numa entrada pela proa, quase caímos em cima do motor, ele não me largou, e eu não conseguia entender o que acontecia. Eu ainda não sabia de que lado ele estava apesar de se esconder daquele jeito. Soldados com metralhadoras caminhavam na frente do barco. Ele pôs a mão na cabeça e a outra no meu ombro e olhou para mim sem ameaças.

— Eles estão bem?

— Estão.

Pronto, acabou-se o mistério.

— Estão esperando a gente lá embaixo, perto do rio. Vamos descer com o barco agora e pegar eles e de lá fugir para o Estreito à noite — disparei a falar entusiasmado sem ter mesmo a certeza de que ele seria amigo dos guerrilheiros, tanto era a minha vontade de descer logo com aquele barco, não via a hora.

Aí ele se levantou tenso, afastou a lona para ver o movimento, voltou, e ficou frente a frente comigo novamente, o nervosismo já não me afetava, para mim estava tudo resolvido.

— Jesus! Eu não posso arredar o pé daqui. Não posso ajudar vocês. Estou sendo vigiado dia e noite e fecharam o rio dos dois lados. Eles não podem te ver aqui. Vá novamente até eles e diga que não posso sair. Terei de abandonar este barco, mas não posso fazer isso agora e ir com você. Vocês têm de encontrar uma maneira de fugir e se esconder noutro lugar longe daqui, e por terra. — Cochichava olhando os soldados pelas brechas da lona.

Fiquei decepcionado sem querer acreditar que não iria voltar no barco, que teria de voltar à cidade.

— Claro que dá para a gente descer com o barco. É só ir ali e desatar a corda.

— Não dá. Eles estão de tocaia atrás de mim, tenho certeza.

Não queria acreditar que a gente não iria descer com o barco. Santiago, debaixo daquela magreza, a barba rala, uma pessoa boa e não um cara perigoso como achava antes, o perigo agora eram os periquitos, percebeu a minha decepção e me entregou um pacote de dinheiro. Tirou uma nota de dez mil cruzeiros e me deu dizendo "Isto é pra você". Disse que estava chegando do Marabá mais um destacamento do exército e da aeronáutica com mais soldados, mais armas e mais helicópteros. "A coisa vai feder", dizia tentando ser alarmante. "Vou ter que fugir daqui rapidamente. E não será de barco." Eu não queria sair, mas com o dinheiro pensei que poderia fazer alguma coisa, comprar comida, um barco menor, arma, poderia continuar a fuga com a guerrilheira. Quando estava saindo ele me perguntou:

— Que fedor é esse? Dormiu com porcos?

Antes que o mundo acabe

De um dia para o outro meu mundo transfigurou-se. As ruas tornaram-se mais perigosas. Os terroristas enfim chegaram. Um tiro de foguete era um morre do coração. A notícia que rolava era que os guerrilheiros invadiram o quartel e conseguiram fugir. Os soldados estavam atrás deles agora. Não sei se esse medo já estava instalado antes, mas eu percebia somente agora o que papai sentia fazia muito tempo. O comércio não abriu, parecia um feriado; aulas suspensas, o banco e o correio com todas suas portas fechadas e aviso de que hoje não abriria, a prefeitura deu ponto facultativo para que todos pudessem se proteger do iminente ataque dos terroristas. Tentava reconhecer as pessoas de longe para me desviar, ora na calçada ora no meio da rua, para ninguém sentir meu cheiro de merda, não podia topar com papai ou minhas irmãs, o tempo de achar um jeito de ganhar o mato outra vez e nunca mais voltar.

Onde eu deveria deixar a cidade pelo caminho do cemitério, numa rua de terra por trás da igreja, havia um jipe do exército sem capota com dois recrutas vigiando aquela saída da cidade. Faltou coragem em seguir adiante e passar por eles, podia ficar nervoso demais e deixar escapar alguma suspeita, somando minha sujeira e fedor, a roupa rasgada, não poderia botar meu plano a perder. Fui atrás de outra saída perto do hospital, mas lá também tinha soldados. Eles estavam acreditando mesmo que os terroristas estavam para invadir. A outra saída seria perto do aeroporto, depois da minha casa, que tinha o quintal na mesma direção do platô, se localizava do lado direito de quem ia para o aeroporto, do lado por onde sobrevoavam os aviões antes de descerem e por onde os soldados andavam a caminho do puteiro. Era a última saída.

Entrei no centro da cidade para não passar na frente da minha casa nem perto da oficina. Com medo de um grupo de soldados que vinha na minha direção pela calçada, parei na frente de uma banca de jornal, o único lugar aberto da cidade, ao lado de um posto de gasolina fechado, para olhar as capas das revistas disfarçadamente. Havia uma revista pendurada na frente da banca com uma foto de John Lennon na capa. Era a primeira vez que eu via uma foto grande dele. Comprei e dei ao jornaleiro a minha nota ganha do guerrilheiro, me afastei para ele não sentir o meu cheiro, mas voltei para perto dele quando um jipe cheio de soldados passou na rua, me deparei com o jornaleiro meio moleque como eu olhando para mim desconfiado.

— Nota grande, hein? Onde você arranjou esse dinheiro?

— O dinheiro não é meu não. A revista também não é para mim não. Só vim de favor.

Peguei o troco e a revista sem dar tempo de o jornaleiro aumentar sua desconfiança de que aquele fedor era meu. Estava ficando esperto. Numa janela ao lado da banca, uma mulher falava para outra, de janela para janela, que a cidade foi atacada por mais de vinte guerrilheiros, e que eles tinham bombas e se tivessem tomado a cidade todos estariam mortos e as mulheres estupradas.

Antes de voltar ao platô, resolvi comprar comida e pegar umas roupas para mim e os guerrilheiros e não encontrei armazém aberto onde comprar latas de sardinhas, bolachas de sal, um picolé ajudava. Por outro lado, se não conseguisse roupas para levar, continuaria vendo a guerrilheira nua por mais tempo. Mas pensava como um católico e voltava atrás no pensamento e achava que deveria levar uma roupa para ela vestir, os mosquitos e os insetos estavam acabando com a beleza dela. De fome não morreria, eu era do mato, que eles tentavam ser. Resolvi arriscar e entrei em minha casa. Entrei no quarto sem ser visto achando que não podia perder tempo, deveria chegar ao platô antes que escurecesse. Ao ver Victor deitado em pose de morto, com as mãos cruzadas no peito e um soro pendurado ao lado, levei um choque, como se ele não mais existisse. Isabel, Geísa e Aline oravam ao redor de uma vela em cima da minha mesa, e pararam quando viram o meu estado.

— Alguém me dá notícia do moleque do Daniel?! Onde aquele miserável se meteu para não ir trabalhar? — Era papai, que tinha entrado em casa atrás de mim.

As três olharam espantadas para mim e perceberam a minha necessidade de me esconder, me enfiei debaixo da cama sentindo dores em todas as juntas do meu corpo. Estava todo dolorido. A sombra se moveu no corredor, chegou à porta e saiu. Deixei aquele chão frio e poeirento fedendo a mijo que caiu fora do pinico que o Victor usava, para ser recebido pelas minhas irmãs furiosas, com cara de quem precisava de piedade, de quem estava precisando de ajuda e elas perceberam.

— Que fedor é esse? E essa roupa rasgada? — perguntou Geísa com voz miúda.

— Vai tomar um banho. Meu Deus. Olha o seu estado. O que aconteceu? — disse Isabel.

— Caí da bicicleta — respondi tirando a camisa para não dar mais na vista.

Ninguém acreditou.

— Andou brigando?

Antes de responder eu deixei o quarto e corri para debaixo do chuveiro antes de papai sair do buraco para jogar terra.

Enquanto me lavava com sabão de coco para tirar o fedor e me contorcendo de tantos ardidos e doloridos, via o sol se abaixando por trás dos coqueiros e das copas de sapotis, estava muito baixo, se não escapulisse logo não conseguiria chegar antes de escurecer na tapera onde estavam os guerrilheiros me esperando. O plano era pegar alguma roupa e comida, minha maletinha que já estava pronta para ir com o Victor, que agora voltaria sozinho, e picar a mula em cima da minha bicicleta e nunca mais voltar aqui. Isabel esperava eu sair do banheiro cercado de tábuas, culpa do Victor que ficava de olho na Aline tomando banho nua, aposto que ela se exibia para ele, e me acompanhou de volta ao quarto onde eu vesti roupa limpa, trouxe um prato de comida, me rodeando e pedindo para eu contar a verdade, eu desconversando, adiando, e quando terminei de comer e me preparei para ir embora levando minha maletinha e o maço de dinheiro, Geraldo apareceu. E seu amigo cabo Pena, o dos braços grossos e jeito de babaca como Geraldo. Senti que tudo tinha se acabado ali, naquela hora.

— E aí cabra, vai virar cabeludo também? — disse Geraldo em voz alta com a cabeça enfiada para dentro do quarto.

— Fala baixo — Isabel o repreende. Ficou desconfiada do meu nervosismo, mas Geísa e Aline não acharam nada de errado com aquelas presenças repentinas.

Os soldados vasculharam a casa toda e o fundo do quintal onde há um brejo cheio de taioba coceirenta, entraram no buraco debaixo do meu quarto e conversaram com papai, perguntaram por que ele guardava tanta dinamite ali dentro e ele disse que era da época do garimpo e que não prestavam mais, estavam vencidas fazia anos, fuçaram até na nossa privada malcheirosa, um puxado ao lado da cozinha.

— Tamo procurando os guerrilheiros. Pode ser que gente da cidade ajudou eles a fugir — disse Geraldo com jeito rancoroso e exibindo o braço na tipoia para Isabel, sem aquela cara cínica que ele mostrava antigamente, antes de a guerra começar.

Fiquei mudo e amarelo. Queria disfarçar que a maleta não era minha e segurei nervosamente o maço de dinheiro por cima da calça, mas não conseguia controlar a tremedeira das pernas. Era óbvio que eles achavam que a pessoa que ajudou os guerrilheiros era eu.

O escroto do cabo Pena usando sua arma ao lado da coxa como um caubói se aproximou de mim como se viesse para me pegar e gritou na minha cara:

— Esse aí é o comunista que você falou?

Quase me deu um troço ver aquele brutamontes em cima de mim. Minhas pernas tremiam feito vara verde em mão de covarde e se tivesse com a bexiga cheia teria mijado nas calças.

— É aquele ali. — Geraldo apontou para Victor.

O cabo parou sua brutalidade antes de botar as mãos em mim. Mas ficou com as mãos no ar, com vontade de agarrar o meu pescoço. Olhou decepcionado para o Victor deitado como um morto e torceu o canto da boca antes de olhar para Geraldo.

— Esse aí tá morto. Não teria como ajudar aqueles guerrilheiros — disse irritado.

Geraldo virou-se para Isabel e Aline e dessa vez falou baixo:

— Esse aí já virou zumbi? Essa água que ele se banhava e bebia é que deixa a pessoa assim. Morta mas viva. Logo logo ele vai fugir e morar nas cavernas com os outros zumbis — debochou.

Engoli a raiva para não levantar suspeita. Eu podia dizer que ele sim parecia um zumbi. Esses monstros que viviam nas cavernas das montanhas de pedras eram coisa séria para nós. Eram reais para as crianças. Meu medo me empurrava para uma fuga repentina, e me preparei para escapar daqueles soldados.

Geraldo, que de amigo mudou para inimigo, agiu raivoso e vingativo como os cabras do sertão fazem quando não podem matar a pessoa aos olhos de todos, deixou o quarto antes que eu desse um ataque explicando para o cabo as palavras de Victor ao afirmar que conhecia e gostava dos comunistas. Se Victor tivesse bom provavelmente sairia daqui preso e seria torturado e até a sua cabeça seria cortada. Aí nem esquentei o sangue gelado e as mãos de sapo, entrou o inquérito da Isabel.

— Por que você dormiu fora de casa, me aparece desse jeito e não quer dizer o que aconteceu? Desembucha!

— Se eu contar, vocês não vão acreditar — disse me fazendo de vítima e Isabel desdenhou com o canto da boca.

Quebrei a regra básica de confiança dos guerrilheiros e desatei a contar vantagem no relato da história toda. Deixei de fora a guerrilheira loira e bonita. Aline parecia com os ouvidos entupidos, viúva com a perda de seu amado, Geísa foi cuidar de suas panelas cheirando a arroz queimado, e acabei preso em minha casa.

— Daqui você não sai nem morto. Para se encontrar com guerrilheiro? Imagina isso? Sem falar que essa história sua parece inventada, mesmo assim daqui você não reda o pé. Se tentar sair eu aviso o papai. — E fechou a cara para o meu lado sem se importar mais se acordaria Victor de seu coma.

* * *

A noite chegou mais cedo dentro do meu quarto escuro, o médico e o padre vieram e foram embora, e esperei um vacilo de

Isabel para fugir, era mais seguro fugir sob a escuridão. Eu conhecia o caminho e havia perdido o medo das almas. Tirei o pôster do Tarzan da parede e grudei com quatro tachinhas de ferro nos quatro cantos o pôster do Lennon no seu lugar para dar a impressão de que não iria fugir. O pôster da mulher loira em Copacabana eu não tiraria por nada. E guardei o disco que veio junto com a revista dentro da minha maleta. Mas nada tirou minha irmã do meu lado mais do que dois minutos, colocou mertiolate nos meus machucados e cuidou de mim esquecendo a tristeza pela quase morte do Victor que ninguém acreditava mais que pudesse se recuperar além das minhas irmãs. Apenas eu achava que ele já tinha morrido, precisei fazer isso quando encontrei a guerrilheira que estava me esperando. O médico, antes de sair e Isabel chegar com um sorriso maroto, disse que Victor seria finalmente levado no dia seguinte de avião para o Rio de Janeiro, a quase 3 mil quilômetros de distância da gente.

Isabel abriu um sorriso para me dizer que tinha uma festa no Clube da ABB e Heloisa havia me convidado para se encontrar com ela no baile. À primeira vista não me toquei o que seria esse encontro, estava com a mala pronta para partir com a guerrilheira e não podia agora em cima da hora mudar os planos, e disse:

— Eu?

— Cê é doido? Vai perder essa oportunidade? Não era o que você queria? — Ela me persuadia para eu não fugir com os guerrilheiros, não sabia que a guerrilheira era linda, loira e cheia de curvas, e que tinha aquele monte de pelos loiros entre as pernas que ficaram impressos na minha memória. Ela não podia sonhar isso.

Porém, mesmo já me vendo vivendo noutro mundo com a guerrilheira, no fundo eu ainda acreditava como papai e todo mundo que uma guerra maior ainda estivesse para acontecer. A qualquer hora uma bomba atômica cairia sobre a cidade. Tinha que aproveitar o convite chegado na hora errada. Não era tão importante agora como teria sido se viesse um dia antes. Mas, vai que o mundo acabasse logo. Nisso eu acreditava.

— Tinha de ser hoje? — Eu resmungava cheinho de felicidade e aflição, uma energia extra para me deixar sem sono ou cansaço.

* * *

Isabel nunca namorou, porque não queria; Heloisa eu não sabia se já tinha namorado, mas Isabel achava todos os meninos bobos. Não se parecia comigo apesar de sermos gêmeos, e nem segurou tantos traumas do sertão ou tinha a cabeça de vento como eu, sua vida dava a impressão de ser muito leve. O que havia em mim de travado e péssimo aluno ela tinha de extrovertida e boa estudante, estava sempre alegre e espevitada, tirando gosto com as pessoas mais velhas, nem parecia ter sido criada no Pindaré como eu. Era minha amiga, andava interferindo nas agressões do papai, e mesmo eu fazendo a cagada de fugir com os guerrilheiros, ela ficou do meu lado.

— Não fala isso com ninguém. Pelo amor de Deus. Ninguém pode saber disso — me dizia enquanto caminhávamos para o baile a passos lentos para não ficarmos suados e manchar minha camisa debaixo do braço. E porque minhas juntas doíam e meus machucados ardiam debaixo daquela roupa fechada. Odiava aquele calor. Daquele mundo, só o rio eu gostava.

Entrei no clube roxo de expectativas, era a minha primeira festa e a primeira vez que eu entrava no clube do Banco do Brasil, um espaço social da elite da cidade, tinha piscina onde Heloisa fazia natação e os playboyzinhos jogavam bola com uniformes de times famosos dos quais nunca gravei os nomes. Continuava alheio ao futebol apesar de querer saber mais sobre o Flamengo do meu amigo Victor. O salão escuro do clube tinha longas colunas em estilo clássico em volta, no centro era iluminado por uma luz negra, rodeado por mesas, e ao fundo a banda Big Brasa começava a tocar a sua música tema, que sempre tocava quando começava e terminava a festa, *The house of rising sun*, do grupo The Animals. A banda era formada por um baixista, um baterista, um tecladista em um órgão elétrico, e um guitarrista que fazia o vocal, Gerson, meu amigo cabeludo que trabalhava como vendedor de um depósito para material de construção do Armazém Piauí, onde papai comprava as soldas. Isabel me levou para o salão onde havia uns amigos conversando. Heloisa estava sendo assediada pelo Pau de Rato, o moleque folgado que vivia em bando com seus irmãos e primos mexendo com todas as garotas bonitas.

Ela deixou o idiota do Pau de Rato pra lá e veio em nossa direção com seu corpo solto em um vestidinho branco esvoaçante, e as dores nas juntas, a surdez por causa dos tiros, o ciúme, os espinhos enfiados nos meus pés e mãos, arranhões em toda parte, pequenos hematomas quase invisíveis, anestesiaram-se. O Big Brasa tocou um *rock* e imediatamente a pista se encheu e todos começaram a dançar. Comecei a imitar discretamente outros jovens que sabiam dançar e não foi difícil ficar como todo mundo. Uma, duas, três músicas e eu não saía do mesmo lugar, sem tirar os olhos de Heloisa, e ela não parava mais de rir para mim. Nem saiu do meu lado. O escuro me ajudava, escondia meus machucados recentes.

Finalmente, *Satisfaction* do Rolling Stones chegou ao fim, assim como o bloco de músicas para dançar solto. Imediatamente, o Big Brasa começou a tocar os primeiros acordes de *Tell me once again*, da melancólica banda grega Light Reflections, a música mais melosa do mundo, iniciando o bloco das músicas lentas para dançar junto. Ficaram na pista apenas os casais, e eu segurava as mãos da Heloisa ainda sem saber até onde podia ousar. Nos abraçamos e começamos a dançar. Olhei os outros casais e segurei sua mão esquerda com a minha mão direita e pus a minha mão esquerda na sua cintura, mas não colei nela como os outros moleques dançavam com as meninas.

Heloisa se aproximou para dançarmos juntos sem eu precisar pedir. Ensaiei tanto o "Vamos dançar?" e nem precisei. Não ousei ser abusado. Depois encostei o meu rosto no rosto quente dela e senti seu perfume em seu pescoço. Fui ao céu. Heloisa se encostou mais e colamos os nossos corpos. Até aqui, tudo bem. Senti seus seios macios e pequenos e não me incomodei com o volume dentro da minha calça se esfregando nela. Foram umas quatro músicas cheias de aperta mais daqui e dali. A gente parecia um só, agora mais grudado que os moleques que já namoravam as meninas, dançando tão lentamente que parecíamos parados, e eu aguentando as dores sem ela ver. Mas terminou de tocar o bloco das músicas lentas e entrou o das músicas de *rock* internacional. A pista ferveu novamente. E ficamos um olhando para o outro sem se desgrudar mais. Eu mal podia acreditar. Queria beijar, mas não tinha coragem. Mas aí saímos de mãos-dadas para fora do salão e depois do próprio clube e encontramos um lugar para a gente namorar. Na verdade, ela me conduziu até um ponto escuro entre os postes de luz, um canto encostado em um muro baixo e nos beijamos. O meu primeiro beijo demorou uns dez minutos, onde eu sentia o gosto da boca dela, a saliva quente, os lábios, enfim as descobertas comuns, e a esfregação estava me deixando num céu ainda mais alto novamente. E isso durou uma meia hora ou mais. Todos os meus arranhões e machucados foram consolados e só consegui ir embora porque Isabel me arrastou.

Na volta, perguntei a Isabel se era um sonho e ela riu. Ela se divertia como se também estivesse se realizando como eu. No mesmo dia eu tinha visto uma mulher nua e dado o meu primeiro beijo e o primeiro amasso numa garota linda que poderia namorar os cabeludos riquinhos se quisesse. Mas me lembrei do dinheiro e da guerrilheira me esperando e se eu não voltasse, ela fugiria sem mim. Não consegui dormir com o gemido de Victor naquela escuridão. Pensava na Diana, na Heloisa, as duas se misturando, e acordei antes de pegar no sono de verdade, sem forças e vontade para sair naquela hora e enfrentar a mata sozinho e no escuro. Abracei a minha malinha Duratex e apalpei o dinheiro no bolso, meus olhos fecharam-se novamente, tinha passado a noite anterior inteira sem dormir, e não se abriram mais. Apaguei agarrado à minha maletinha como se estivesse apertando as duas mulheres com quem sonhava, a loira de pele dourada totalmente nua e a boca molhada da Heloisa, sem ainda acreditar que não era apenas sonho. Nem deu tempo de acordar e pensar se realmente estava namorando a Heloisa.

"O rapaz não resistiu."

Ouvi uma voz incomodando vinda do céu onde eu estava sobre o platô, me escondendo ao lado da guerrilheira de uma ave em forma de helicóptero. Heloisa gritava no pé do platô o meu nome e dizia que me amava, me chamando para descer daquela montanha toda coberta com lírios vermelhos. Um grito imenso e agudo me acordou. Era o grito da Aline. Meu quarto estava cheio de gente, incluindo o médico passando as mãos nos olhos de Victor. O grito de Aline fez todo mundo sair daquele cochicho. Não foi um grito qualquer, mas o de uma mãe ou uma vaca que perdeu o filhote. Imaginei Victor deixando o meu quarto pelo telhado e se encontrando com a mamãe, dizendo a ela como eu estava, quem eu era agora, as coisas que eu fazia e as mulheres que eu tinha e não falaria de coisas ruins. Me senti caindo do céu, do sonho com a Heloisa, e a realidade dura que eu não gostava de suportar mas suportava.

O padre afobado e lamentando não ter conseguido antes um avião para levá-lo ajudava o médico a desgrudar a desesperada Aline do corpo de Victor, e aproveitei para sair rapidamente com a minha mala e ainda usando a roupa nova da noite anterior. Geísa se desembestou com a notícia, ela jurava que ele não morreria, correu da cozinha para o quintal arrancando os próprios cabelos e escorregou na lama acumulada ao redor do tanque, se estrambelhou no chão e lá ficou, rolando na lama como um porco se divertindo, tendo um ataque e ninguém para ajudá-la. Mesmo correndo o risco de papai sair de seu túnel e me pegar, larguei minha *bike* e minha maletinha para ajudá-la. Papai, que nunca tomou pé da existência de Victor em nossa casa, botou a cara fora do seu buraco gritando.

— Que merda é essa?

Larguei Geísa na lama e tentei correr, mas ele me cercou.

— Onde você se escondeu seu moleque?

O frei italiano de pele de peru não era enfezado como aparentava, apareceu no quintal para acudir Geísa se debatendo na lama, mas não conseguiu porque ele pegou no seu braço e logo largou para não se sujar. Deixou minha irmã se debatendo na lama. No meu quarto, o doutor Murilo assoprava seus dedos mordidos por Aline quando ele tentou separar os dois. No meio daquela gritaria que devia chamar a atenção do quarteirão inteiro, fui novamente ajudar Geísa a se levantar e papai veio para cima de mim, mas Isabel se interpôs e eu escapei. Era o fim do mundo.

Desesperado, dei uma volta ao redor do tanque quase pisando na Geísa rolando enlouquecida como eu havia feito na lama dos porcos para escapar do fogo das metralhadoras, derrubando ainda o padre que a ajudava mais uma vez e xingou os diabos quando sentou a bunda naquela lama de terra que papai tirava do seu abrigo antibombas nucleares. O doutor xingava no quarto e o padre na lama e meu pai dizia para todo mundo parar de gritar gritando mais alto ainda, Isabel chorando, Aline aos urros. Dava dó. Um redemoinho e tudo desabando dentro do inferno de gritos e lama.

Achando bom aquela loucura toda durar mais um pouco, peguei roupas e calçados, uma calça limpa do papai, enfiei na maletinha amarrada na *bike*, tomei o corredor e só percebi papai atrás de mim quando a roda da bicicleta bateu na calçada, senti uma facada nas costelas das pontas de fios de náilon de uma lapada. Gritei, mas o grito ficou para trás. Nem ligava mais para dor ou lapada àquela altura. Num segundo estava distante e achando que finalmente estaria partindo para nunca mais voltar, dessa vez para valer mesmo. Voava desesperadamente com todas as minhas forças, as rodas arrancando piçarra e passando na frente até de carro, com as lágrimas de dor pela morte do meu amigo Victor ainda esperando o seu tempo para escorrer, e a dor nas minhas costelas esperando para doer.

Rapidamente, ao deixar a cidade, minha cabeça começou a mudar o pensamento, da loucura do hospício que tinha virado a minha casa ainda zoando de orelha a orelha ao que eu teria de fazer daqui para a frente, deixar para trás o que ficava e pensar na guerrilheira faminta que me esperava na tapera. Subia o platô suando em bicas com tanto esforço para não deixar a bicicleta para trás, com a maleta Duratex amarrada com tiras de borracha na garupa, fazendo flap, flap, flap, as pernas treinadas de pedalar com Victor por mais de trinta quilômetros por dia não doíam mais, tinha roupas e dinheiro, o suficiente para continuar a fuga para longe daqui. Me senti realizado e comemorando ao chegar ao topo do platô, apesar da costela ardendo.

A JURA DE MORTE

No alto do platô, que parecia uma montanha, procurava um lugar para guardar a bicicleta quando primeiro tive uma sensação ruim e depois ouvi, numa onda de vento, o barulho de um jipe. E foi então que eu percebi que tinha caído numa armadilha. O jipe verde-escuro e sem capota do exército subiu a chapada de vegetação rala que cobria o platô feito um trator derrubando paus e tudo o que encontrava pela frente, não precisava de trilha, vindo do mesmo lugar por onde eu havia subido, com soldados mirando suas metralhadoras em minha direção. Achei que já iriam atirar. Imediatamente, virei minha bicicleta morro abaixo numa trilha paralela achando que daria tempo de escapar, mas nem deu. Do jipe, que do nada estava bem na minha frente, ouvi a ordem "Um passo a mais e eu atiro", senti falta de gosto na saliva novamente, o gosto sem sal que fica na nossa boca nesses momentos extremos quando o sangue e a força no corpo parecem nos deixar.

O cabo caubói com sua camisa apertada nos braços pulou do jipe sem tirar os olhos de mim puxando a pistola como se sacasse uma Colt. Agarrou meu ombro e enfiou o cano daquele trabuco duro como uma pedra no meu rosto. Soltei um grito de dor.

— Pra que essa pressa toda, moleque? Aonde pensa que vai? — disse com o rosto quase tocando no meu.

— Pra lugar nenhum. — Minha resposta saiu engasgada por falta de ar, branco como leite e as mãos tremendo descontroladas, sem forças até para segurar a bicicleta que caiu no chão e jogou minha malinha nas pedras.

O cabo dos braços de cavalo chutou as sacolas e a maleta, sapatos e roupas se espalharam, um pacote de bolacha e uma lata de marmelada, procurei esconder o dinheiro. Geraldo sentado no fundo do jipe, com o braço na tipoia, sem armas, parecia que nem me conhecia.

— Tá levando isso pra onde? E pra quem?

Eu diria qualquer coisa que ele perguntasse, se perguntasse assim "Isso é para os guerrilheiros?", eu diria que sim naquele instante, mas não, ele levantou aquele tronco com a manga da camisa dobrada para o braço ficar mais grosso do que era, desceu a mão aberta no meu rosto e ouvi aquela mão grossa estalando na minha cara. Fui ao chão surdo, com a cabeça zunindo como se tivesse sido atingido por uma porta de madeira, rolei por cima da minha mala aberta, dos gibis, bolos de arroz e cacetes, roupas, com o rosto saindo um filete de sangue do canto da boca. Nem precisei levantar. O cabo me pegou e me levantou como se levantasse um saco com uma quarta de farinha seca.

— São coisas minhas e das minhas irmãs — choraminguei.

— Tá achando que eu sou besta? E essa merda aqui? Está indo levar pra algum lugar.

O cabo me soltou e afastou-se de mim como se quisesse tomar distância para poder atirar. Levantou a pistola e apontou bem nos meus olhos. Veio para cima com o cano daquele trabuco e bateu direto na minha cabeça. Senti mais uma pedrada soltando um grito. O sangue correu no meu rosto.

— Sentiu o gosto? Tô perdendo a paciência com esse filho de uma égua. Você tá indo se encontrar com os guerrilheiros?

— Tô... não.

Engatilhou a arma e o cano tapou a minha visão, se eu fosse um frouxo mijava. Sua imensa mão e os dedos grossos agarraram meu pescoço como se eu fosse um gato, senti falta de ar e falta de chão embaixo dos pés. Não conseguia respirar mais e me desesperei. Seria estrangulado. Retorcia-me inteiro, chutava para todos os lados e de repente não conseguia nem me mover mais, comecei a desmaiar e tive consciência de que estava morrendo. A vista escureceu e perdi as forças, achei que não voltaria mais. Despertei despencando num abismo buscando ar para os pulmões até cair nas pedras arenosas e escaldantes do platô, achando o nariz estreito para entrar muito ar de uma vez só, e fui renascendo no conforto do chão onde caí estatelado e gemendo de dor.

— Vamos te jogar no rio com uma pedra amarrada no seu pescoço e ninguém nunca vai descobrir como você morreu. Vai falar?

Outros soldados aproximaram-se e o cabo parou de me bater. Pensei em apanhar uma pedra, acertar sua cabeça e sair correndo entre as pedras do platô. Um soldado me mostrou o pacote de dinheiro que caiu do meu bolso e então achei que dali não levantava mais.

— Isso aqui está confiscado — disse o cabo tirando o maço de notas das mãos do soldado, conferiu rapidamente e enfiou no bolso. E novamente ele me levantou pelo colarinho da camisa ensanguentada. — Agora mesmo é que tu vai pro inferno. — E apontou o revólver disposto mesmo a atirar.

— Conheço ele. Ele é muito bocó pra ajudar os guerrilheiros. O cabeludinho é que é o comunista. É ele que temos que pegar — disse Geraldo de cima do jipe, tragando um cigarro e jogando a fumaça nos mosquitos.

O cabo tirou o revólver da minha testa, olhou para Geraldo e perguntou:

— O doente? Então por que esse moleque está com estas coisas aqui nesse meio de mundo? Está querendo livrar a pele do seu amigo?

Eu ainda nas mãos dele temia que Geraldo não conseguisse convencê-lo.

— Não é isso. Ele se caga de medo dos guerrilheiros. Num é?

— Vamos levar esse para o quartel e lá a gente tem métodos pra fazer ele falar — disse um soldado.

Senti o peso da mão de Pena me levantando do chão, me jogou longe e me disse olhando bem nos meus olhos:

— Só não te mando para o fundo do rio por causa desse aqui. — E apontou para o Geraldo, que não olhava nos meus olhos.

O soldado cochichou no ouvido do cabo. Mas o cabo pareceu não dar ouvidos e arrancou novamente a arma da cintura vindo para cima de mim dizendo:

— Não vou te levar para o quartel não, vou te matar aqui mesmo. Já sangrei muito cabra como tu, birrento, amigo dos comunas traiçoeiros. — Ouvi o clic do cão se armando, e antes de aquilo disparar rapidamente me despedi do mundo. — Vou te dar um dia de vida por causa do seu amigo. Mas depois disso você é meu para eu fazer o que quiser. Quero cortar esse pescocinho com esta faca e levar sua cabeça como troféu lá para o quartel.

Me levantei sem entender direito a jura de morte do cabo, queria mais era escapar vivo. O cabo voltou a me ameaçar.

— Não pensa que irá me escapar não. Se considere desde já um morto. Eu sou daqueles que nunca deixou de cumprir uma jura.

Subiram no jipe atirando para o ar uma rajada de metralhadora e passaram com a roda sobre a minha bicicleta de propósito. Subiram mais um pouco o platô e se esconderam nas moitas esperando eu sair. Queriam me deixar livre para eu levá-los até os guerrilheiros. Fiquei um tempo sem ânimo para me levantar. O cheiro do meu próprio sangue secando na minha pele me deixou enjoado, achei que eles iam voltar e fazer tudo de novo. Recolhi as roupas espalhadas, juntei dentro da sacola com os bolos e pendurei numa árvore para os guerrilheiros acharem. Meu rosto e minha camisa estavam encharcados de sangue, mas do corte da minha cabeça havia secado.

Levantei minha bicicleta com a roda torta, sinuosa como a rodeira de uma jiboia, e me soltei ladeira abaixo, a roda torta batia nos garfos dianteiros e a malinha fazia flap, flap, flap, cambaleando, pensando em limpar aquele sangue antes de ir direto ao porto, roubar um barco na marra e descer até onde os guerrilheiros estariam escondidos. Para casa eu não podia voltar.

***

Entrei agitado quebrando a monotonia silenciosa da fresca e suja oficina dos filhos da dona Maroquinha, a costureira de nossas roupas, a mãe de dois sujeitos grandalhões musculosos e surdos, que praticam halterofilismo no quintal com equipamentos de musculação criados por eles mesmos usando peças de ferro da oficina de consertar caminhão, viraram dois gigantes cabeludos e pacíficos, achando que não seria difícil enganá-los. Os inseparáveis Josival e Vilson se assustaram com o sangue na minha roupa e queriam explicações. Viram que o corte era pequeno e sossegaram. Eu insistia que queria apenas a bicicleta arrumada urgente, e eles continuavam ressabiados com seus gestos e grunhidos querendo saber como a roda ficou daquele jeito e por que eu tinha me machucado tanto, não estava colando a história da queda da bicicleta. Pensando em meu plano que não podia falhar, fui ao banheiro e lavei meu rosto, vi o corte fechado, troquei a camisa cheia de sangue por uma limpa que estava na mala, lavei bem o rosto, tinha um pequeno hematoma perto da boca e um acima do olho, e deixei a oficina sem explicação.

Usei os troncos grossos das grandes mangueiras da avenida da igreja como pontos estratégicos para me camuflar dos soldados ou de quem pudesse me reconhecer, invisível para o jipe do cabo ou para papai ou Isabel, já que Geísa só saía de casa para ir à igreja. Se roubasse um barco nem voltaria mais para pegar a bicicleta, desceria o rio sozinho, aportaria nos curtumes e pegaria meus anzóis e de fome a gente não morreria. Nunca vi um barco trancado a cadeado, nunca se roubou um motor nesse porto desde que ele existe, se roubasse não haveria onde usar, todos se conhecem, então seria fácil. Mas amarelei quando cheguei ao porto. No lugar onde estava o barco de Santiago existia um imenso barco de guerra, todo de metal, negro, com uma *big* metralhadora na proa e outra na popa como a do jipe que vigiava tudo, um imenso encouraçado, um helicóptero da água, um avião de guerra disfarçado em forma de barco. Fiz todas as comparações para aquela coisa mortífera. Tinha soldados dentro do barco de Santiago e eu não podia chegar perto, podiam desconfiar, me desanimei, fiquei parado por um tempo pensando em como faria para levar um barco até os guerrilheiros e acabei descobrindo que tinha de planejar outra forma de fugir; pegaria o revólver trinta e oito de papai e abriria fogo para cima do cabo e do Geraldo, salvaria a minha guerrilheira que me esperava para fugir e roubaria um barco na marra quando fosse de noite.

Atormentei novamente os surdos, e só arredei quando eles desentortaram o pneu da bicicleta. Botaram aquelas mãos pesadas em mim para eu não correr antes de dizer com quem eu tinha brigado para ficar daquele jeito, e perdendo a paciência me livrei da ajuda sincera deles, não podia vacilar mais. Sabia que os soldados me vigiavam de alguma maneira.

Havia uma pequena concentração de pessoas, um jipe e uma ambulância do exército na frente de casa, de onde eu tinha escapado levando uma lapada nas costelas, calculando que naquelas alturas uma lapada a mais era um mal menor e naquela bagunça conseguiria entrar em casa sem ser incomodado, porque a atenção estava no morto estirado na sala de visitas onde ouvimos a radiola. Victor estava dentro de um caixão com duas velas acesas uma a cada lado de sua cabeça, nossa casa ganhou o mesmo cheiro do dia da morte da mamãe. Minhas irmãs, o padre e todo mundo estavam ao redor do caixão que ia ser fechado para ser conduzido por soldados que aguardavam fora da casa para levá-lo ao aeroporto. Todo mundo chorava ao redor do caixão, Isabel, Geísa e Aline se desmanchavam em lágrimas, eu nem me comovia, tão desesperado em escapar do cabo e de papai, que o mundo para mim agora se concentrava no platô. Papai cavava alucinadamente seu buraco e me encorajei a entrar no seu quarto, de onde saí com um Schmidt três oitão e uma caixa cheia de balas douradas. Enfiei o trabuco no cós da calça, sem cinto, ficou meio folgado querendo cair, mas não havia outro lugar para escondê-lo. Isabel entrou no quarto quando eu saía com minha bicicleta e a maleta amarrada na garupa, sem poder esconder meus machucados tentei achar uma desculpa e não consegui.

— Não foram os guerrilheiros não, foram os soldados, foi o cabo. Me bateram muito — disse, sentindo meus olhos se encherem de lágrimas sem eu chorar.

— Não sai daqui mais. Ouviu? — disse no meu pé do ouvido, para ninguém no velório escutar.

— Olha só o seu estado. Não te falei pra não se arriscar? E agora?

— Agora eles querem me matar — disse me fazendo de vítima para ela acreditar.

— Vamos até o aeroporto deixar o Victor e quando voltar, se você não estiver aqui, eu chamo a polícia e vamos atrás de você, entendeu?

— Não vou fugir não — disse com grande tristeza.

— Amanhã você vai comigo para a escola. — Isabel me deixou, desconfiada.

As coisas de Victor estavam arrumadas, mas os discos e o seu boné do Flamengo ficaram de fora. E guardei o boné dentro da minha malinha como lembrança. Quando o corpo partiu, a casa voltou ao silêncio. O precioso silêncio chato da natureza. Mas recomeçaram as batidas da picareta no fundo da terra. Forcei a audição para captar os mínimos ruídos, como fazia quando era menino para escutar o estalar de uma folha seca pisada por uma paca no meio de uma tarde no coração de uma floresta tropical em um vão de serra, e assim sabia onde e o que fazia cada pessoa; das colheres batendo nas panelas, Geísa na cozinha, voltou na metade do caminho porque tinha medo de entrar no aeroporto; do chuveiro caindo água, Geísa tirando a lama do corpo; a respiração lenta de um cachorro com a língua de fora no calor se refrescando na sombra; os passos arrastados de Aline, eram as meninas voltando, e Isabel dormiu na cama onde estava Victor, para não me deixar sozinho no quarto fantasma, me vigiando e cuidando dos meus ferimentos sem papai saber.

* * *

De longe eu observava Heloisa como se não tivesse acontecido nada entre a gente, como se ela ainda não tivesse sido minha, tamanho era o medo de ter de conversar com ela à luz do dia, e não encontraria desculpa para os machucados. Ficaria escondido atrás da marquise perto dos banheiros, e em vez de voltar à sala de aula, enganaria Isabel e voltaria para o platô onde tinha de continuar minha fuga ao lado da guerrilheira; preferia enfrentar o cabo a ter de me virar com um namoro que eu nem sabia como continuar. Enfrentaria a irmã Raquel, a freira durona e meiga ao mesmo tempo, falava comigo sempre com jeito, sem nunca aumentar o tom de voz como fazia com os outros alunos, era dura porque precisava manter as noviças longe da gente, eu a enfrentaria, mas não encararia Heloisa. Na hora em que o sino tocasse acabando o recreio e Isabel visse que eu estava no colégio como a gente combinou, eu sairia de fininho e pegaria o cabo, que deveria estar me esperando de tocaia, antes de ele me pegar. Agora eu tinha uma arma. Isabel e Heloisa apareceram e o nervosismo dominou meus movimentos e não consegui correr delas.

Elas abriram os últimos botões da parte baixa da blusa e amarraram as pontas acima da cintura, deixando o umbigo de fora, vendo que eu observava tudo. Dobraram o cós da saia azul godê, encurtando o seu tamanho, que ficou um pouco mais acima dos joelhos. Suas ousadias e risadas eram acompanhadas de uma vigia de irmã Raquel, que se as vissem assim dariam uma suspensão. Imediatamente as duas cruzaram o pátio onde havia uma fonte jorrando água, e corri para o bebedouro, empurrei na marra o último pedaço de pão garganta adentro, e fingindo beber prendi a arma entre as pernas tremendo os joelhos, pensando se dava tempo de fugir, levantei o rosto e Heloisa se aproximou mostrando seu umbigo. Eu não quis mais sair dali. Queria pegá-la, beijar novamente, mas estava paralisado com medo de a arma aparecer, de eu falar uma merda, de ela desconfiar dos machucados.

— Está doendo aí, no seu rosto? Como você se machucou?

— Foi ontem, caí da bicicleta. Mas só ficou roxo hoje — soltei na hora uma mentira sem remorsos.

— Estamos combinando de ir ao cinema, vamos? — disse Isabel tentando e não conseguindo manter cumplicidade comigo, que voltei a olhar para o chão.

— Cinema? — Levantei a cabeça e Heloisa sorria ao meu lado. Eu me derreti.

— É. Vamos ver um filme.

Eu soltei um sorriso sem graça, de timidez.

— Eu topo — soltei a voz e me ergui.

A irmã Raquel, a freira supervisora da escola, magra como se malhasse em academia, vestia um hábito acinzentado que lhe deixava com ar angelical como as fotos nos calendários católicos de folhinhas descartáveis, e tirava-lhe também o jeito de mulher, era uma administradora disfarçada, apareceu e me salvou, mas quase flagra as meninas com o umbigo de fora. Isabel desatou rapidamente os nós da blusa, mas Heloisa ficou olhando nos meus olhos. O sino tocou quando a irmã chegou.

— Meu filho, o que aconteceu? — disse a irmã, me assustando.

— Nada não. Caí da bicicleta de novo — disse de cabeça baixa, como eu era antes, com o corte em cima da cabeça aparecendo, uma casca preta no meio cobrindo a ferida que doía como se a ponta do cano da pistola do cabo tivesse ficado enfiada ali dentro.

Nem levantei a cabeça para olhar a irmã. Segurei a arma na cintura e corri mesmo. Entrei na sala de aula num pé, peguei meus livros e cadernos antes de o professor chegar, e saí no outro. Subi na minha bicicletinha azul e voei como se estivesse sendo perseguido. Aterrissei no meio da rua derrapando os pneus da monareta e segurando o cabo do revólver pensando que se eu morresse perdia Heloisa e a guerrilheira.

E encontrei fora dos muros da escola o fim do mundo de verdade, não aquele dos sonhos, começando.

Um daqueles aviões dos meus pesadelos, já tinha sonhado entrando em um uma vez, todo prateado, um búfalo negro e imenso, voava bem acima de todos nós despejando pela sua bunda um punhado de paraquedistas. A minha primeira ideia mesmo foi a de um ataque em massa de armas nucleares. Essa era a minha neura, qualquer avião grande me remetia aos pesadelos onde eu morria com o fim do mundo. Naquele momento, a cidade toda estava em polvorosa, não havia uma dona de casa que não estivesse com um olho no fogão, medindo a fervura borbulhante do arroz e do feijão, tirando o almoço naquela hora, e o outro mais aceso esperando os guerrilheiros adentrando pelo seu quintal, com mil besteiras passando pela cabeça.

Pedalei vagarosamente em direção ao porto disposto a roubar um barco nem que fosse na marra. Sabia que podia ser descoberto e a cada passo a ansiedade aumentava, as pernas ficavam mais duras, a boca mais seca, gente, gato e cachorro ainda se recompondo do espetáculo dos paraquedistas, e tentava manter a minha guerra e meus nervos sob controle naquele mundo de espanto. A parte mais difícil seria passar pelo soldado em pé no jipe com a metralhadora ponto cinquenta que fura tanque. Foi certo. O soldado com óculos escuros olhou para mim, e eu achei que ele tinha visto o revólver, e mais uma vez amarelei, eram tantos choques mas eu não me acostumava. Fiz de conta que não o vi e segui até as pessoas que embarcavam na balsa, onde havia o imenso encouraçado com canhões nas duas pontas, tão grande que tinha muitos motores, todos ligados, roncando. Um bolo de fumaça negra subiu assustando os passageiros que pegavam a balsa para atravessar o rio e eu faltei mijar nas calças, mas me segurei.

O bicho era tão grande que tomou o lugar dos outros barcos e o porto parecia outro, longe daquela vidinha de ribeirinhos e pescadores. Não era mais o meu porto. Não havia mais crianças brincando de mergulhar, canoas abarrotadas de pacus, nem os barcos para eu roubar, nem o do guerrilheiro ficou. Segurei o revólver por cima da roupa enquanto jipes recolhiam os paraquedistas que desceram na praia, preferia não ter aquele revólver comigo naquela hora em que via o momento de ser desmascarado, e me mandei. Sem ter como remediar, me preparava para o caso de ter de encarar aqueles soldados armados e prontos para enfrentar até os russos, como se fosse possível enfrentá-los apenas com um revólver. Não podia mais me render, o cabo ficou com todo o meu dinheiro e com certeza estava me procurando para me matar.

Na rua da igreja me deparei de frente com o jipe do cabo e derrapei minha monareta em cima dele que poderia ter batido em sua lataria.

— Ê moleque? Tá pensando que vai me escapar?

Vi a cena dele atirando em mim e me acertando. Entrei em estado de desespero e arranquei a bicicleta feito um doido, podendo levar um tiro pelas costas. De repente, quando eu já estava longe, o jipe surgiu na minha frente, com o cabo já com sua pistola nas mãos e eu imediatamente entrei em alta velocidade em um terreno baldio cheio de entulho e mato, numa esquina sem cerca que ligava duas ruas. Parei atrás das moitas de bananas e mamonas segurando para não vomitar de tanto fedor de fezes de gente vindo do chão, e ele deveria pensar que eu continuei fugindo com medo dele. Mas o jipe parou perto de onde eu havia entrado. E o cabo desceu. Entrou no terreno onde eu estava escondido segurando sua baita pistola.

Não podia mais correr. Esperei ele se aproximar montado na bicicleta e protegido atrás de um pedaço do muro que dava para a rua, agindo na camuflagem de uma cotia de pele amarelada e cheia de manchas brancas, imitando a folhagem do chão e os fachos de sol que entravam pela floresta escura, esperando que ele não me encontrasse, que eu fosse invisível. Era a minha chance de mandar ele para o inferno primeiro, como seria um acerto de contas dos homens do sertão. O cabo se aproximava parecendo uma jamanta, batia em tudo, xingou ao atropelar lixo, geladeira e sofás velhos cobertos de ramas de melão-de-são-caetano, e cocô de galinha e de gente. Geraldo e outro soldado permaneceram no jipe. Eu fiz a mira e puxei o gatilho do revólver. As folhas verdes e enormes das mamoneiras me protegiam, era acertar o tiro e sair correndo na bicicleta. Agi como se estivesse caçando passarinhos e cotias no Pindaré. O cabo parou de andar, limpou o suor na testa, virou as costas e me viu. Eu gelei. Ele olhou para mim e arregalou os olhos. Eu apertei o gatilho. O cão fez tec na bala, mas não explodiu, eram balas velhas, guardadas fazia anos dentro do revólver.

O cabo ficou espantado e demorou a mirar sua pistola, ganhei esse milésimo de tempo para fugir do fogo de sua arma, sumi numa arrancada sem poder mais tentar atirar de novo. Já estava atrás do muro pedalando desesperadamente quando um tiro despertou novamente a cidade, mais um tiro e mais outro, mas eu já estava longe passando por cima dos buracos e grotas de uma ruela por onde o jipe não podia entrar. O cabo descarregou sua arma para descarregar sua raiva e para me apavorar ainda mais.

Voei na bicicleta de uma forma que passei por cima de cercas e buracos, cruzei até quintal por cima de uma corda com roupa secando, galinhas correram, um cachorro latiu, e eu nada vi. Caí no mato, e no mato ninguém podia me achar. A maletinha queria saltar da garupa, *flap*, *flap*, *flap*, pendia para um lado e outro, apertei as borrachas, me assegurei que estava longe de tudo, nem cachorros e helicópteros me encontrariam e temi o que vinha pela frente caso não achasse mais os guerrilheiros. Nunca mais poderia voltar. Nunca mais. E cheguei novamente no topo do platô achando que não demoraria uns minutos e o jipe já estaria ali em cima como da outra vez.

Ouvia todos os ruídos, o canto do chico-preto e o canto divertido de um bicudo, meu sonho quando criança era pegar um daqueles passarinhos cantadores, valiam dez vezes mais que um curió, um dos pássaros de canto sonoro que se podia achar gravado em discos. A dimensão do céu azul sem nuvens parecia maior dali de cima. Era tão alto que havia lírios-da-montanha para todo lado, um tipo de planta com flores gigantescas vermelhas que cresceram aqui por engano, achando que estão no topo de uma alta montanha. Rapidamente peguei uma daquelas flores exuberantes para entregar à guerrilheira, arrumei tudo para entrar na capoeira, e segurei o revólver, com ele os guerrilheiros furariam o bloqueio militar. As roupas e a comida que eu tinha deixado aqui da outra vez tinham sumido, sinal de que os guerrilheiros conseguiram apanhar. Enfrentei unhas-de-gato e outras ramas, e não amassei a flor nem deixei para trás minha maletinha de Duratex, de arma em punho para o caso de o cabo aparecer, até chegar à tapera e ter a decepção de não encontrar ninguém. Nem sinal de que estiveram por lá, os pés de canapuns estavam intactos e não havia rastros no chão poeirento de alguma pessoa como se nós nunca tivéssemos passado por ali. Como se aquela história toda fosse um sonho.

Desci até o rio pensando que não podia mais voltar. Chamei por Diana e nada. Só pássaros voaram e voltaram. A primeira sensação foi a de que eles me deixaram, o pesadelo de voltar à cidade começou a ganhar forma e eu me desesperei. O cabo iria cortar o meu pescoço e arrancar a minha cabeça. Dava angústia pensar que eu podia ter minha cabeça cortada. Pensei em me preparar para enfrentar o cabo e dessa vez a arma não podia falhar. Por precaução troquei as balas velhas por novas, da caixa com mais de vinte balas douradas e com cheiro de cobre.

Precisava de uma balsa para descer até a próxima cidade, e para construir uma de talo de buriti precisava de um facão. Pararia em alguma roça e roubaria umas melancias e milho-verde para comer assado, pescaria alguma coisa e de noite dormiria nas margens ao redor de uma fogueira até passar as montanhas do norte e chegar numa cidade. Poderia roubar um facão num sítio e apanhar a linha de pescar nos curtumes sem ser visto. Deixaria a bicicleta escondida e dormiria na tapera até a balsa ficar pronta. Voltei ao platô, esperando ainda encontrar a guerrilheira, aí eu senti o chão balançar e achei que estava tonto. Em seguida veio a explosão.

O FIM DO MUNDO

A terra ainda tremia quando outra explosão imensa tornou a sacudir a terra, bem maior que da primeira vez, um estrondo de cem trovões juntos vindo da direção da cidade. De repente, uma nuvem negra começou a cobrir o céu e a escurecer o dia. Era o cogumelo de uma bomba atômica, formado por uma imensa nuvem negra. Tudo foi ficando mais escuro. E eu gritei. Era uma cena de horror. Os russos estavam nos atacando. A guerra nuclear estava começando e iria destruir a Terra e as pessoas. Aquela nuvem negra foi aumentando e tomando quase todo o céu, e eu apavorado com aquele fim do mundo real, larguei a bicicleta, caí de joelhos nas pedras e botei as duas mãos juntas na frente para rezar antes de morrer. Eu gritava apavorado. Gritava mesmo. Berrava de pavor. Descontrolado. O dia virou noite. Tudo era muito real e eu tinha noção de que não era sonho. Esperei a minha hora de morrer. Iniciada a guerra nuclear não haveria mais como voltar atrás. O som tenebroso da explosão ecoava sem parar pelas montanhas. Esperava a hora de aquela bomba explodir em cima de mim ou a Terra ser engolida por imensas crateras, ou tudo se encher de fogo como o inferno, eu realmente achava que tudo isso estaria para acontecer.

O cogumelo imenso foi sendo levado pelo vento em direção ao rio e a escuridão começou a se dissipar, e o dia a clarear.

Eu me levantei com as mãos tremendo. Achei que podia não morrer, e comecei a pensar que talvez o mundo não acabasse todo de uma vez, que eu escapasse com vida enquanto todos morreriam, mas continuei no nível mais alto de estresse que um ser humano consegue suportar. Apalpei meu próprio braço para me certificar de que estava vivo. Os bichos da capoeira ainda voavam como se estivessem sendo perseguidos por gaviões invisíveis. O cogumelo negro se dissipou no vento e outra bomba não caiu. Nem aviões com suas bombas gigantes apareceram. O sol voltou a aparecer. Mas eu continuei ainda em estado de choque. Um cabra frouxo morreria do coração, mas eu aguentei.

— Eu num tô morto? Será que o mundo já acabou? Deve tá todo mundo morto. Bombardearam a cidade. Jogaram bombas no mundo todo. Meu Deus! — Chorei copiosamente, diante daquele céu de pesadelo achando que deveria correr para algum lugar, me esconder das outras bombas. O céu ainda estava manchado daquela nuvem negra da morte arrastada pelo vento para além do horizonte.

Aos poucos sentia a sensação de ter nascido novamente de verdade. Eu me dava como morto e de repente não morri. Ainda subia um filete de fumaça do lugar onde era a cidade e pensei que talvez houvesse algum sobrevivente. Precisava saber se tinha sobrado alguma coisa, minhas irmãs e papai deviam estar mortos e eu não podia sumir sem saber o que tinha acontecido. Mesmo que outra bomba atômica daquelas voltasse a cair sobre o resto do mundo eu me arrisquei a voltar. E se o cabo tivesse escapado da explosão?

Num impulso estava sobre a bicicleta, desembestado ladeira abaixo, perdi as vezes que caí, quantos machucados a mais eu ganhei, só parei nas quintas próximas ao cemitério quando vi burros pastando normalmente e dei uma freada na bicicleta já quase se desmanchando para ver se aqueles animais estavam pastando de verdade mesmo. Olhei para o burrinho espantando os muruins da tardezinha com o seu inquieto rabo. Achei que talvez não fosse o fim do mundo completamente. Casas estavam inteiras, pessoas olhando o céu ainda com um pouco de fumaça, em todo o lugar as pessoas pareciam atordoadas, admirando o que restou da fumaça negra se afastando e levando consigo as almas dos mortos e dos que estavam vivos.

Encontrei as ruas cheias de buracos como eram antes da bomba, e gente correndo assustada como eu e até mesmo carros e cachorros. Mais uma prova de que eu não tinha sonhado aquela explosão, e que o fim do mundo realmente não tinha sido completo e outras pessoas como eu sobreviveram. O helicóptero voava sobre a cidade e eu nem liguei se seria visto, entrei na minha rua e comecei a seguir outras pessoas que andavam como eu na mesma direção. Ainda subia um fraco filete de fumaça até as nuvens. Achei que a bomba tivesse caído apenas num lugar e não na cidade inteira. E podia ser na minha rua mesmo, nas imediações da minha casa, pois foi na minha rua onde todo mundo se juntou e não havia destruição em lugar algum. Senti cheiro de queimado, de gente queimada. Pessoas se aglomeravam e um soldado segurava uma mangueira na porta de casa que saía de dentro de um caminhão-tanque do exército. Uma ambulância com sua sirene ligada chegou junto comigo, entrei no meio da multidão empurrando todo mundo, e finalmente percebi que tinha sido na minha própria casa que a bomba caiu. Dei uma mexida na minha cabeça e como ainda estava em recuperação por ter sobrevivido a uma bomba atômica, fiquei cego com o resto do mundo por um tempo. Mas descobri que minha casa estava inteira, como as outras casas da rua. Então nem bomba tinha caído e explodido? Ninguém tinha morrido?

Quando entrei em casa, me desviando do soldado do exército segurando a mangueira, fui barrado por várias pessoas saindo de dentro, na rua havia uma imensa multidão e o helicóptero sobrevoando sobre nós espalhava um pouco da fumaça negra.

— A bomba caiu em cima da casa? — perguntei para alguém segurando o meu braço.

— Meu filho, não caiu nenhuma bomba. Não entre aí, o que está de pé ainda pode desabar.

— Não foi uma bomba?

Me livrei daquelas mãos, entrei em casa e tive outro choque. A explosão tinha sido no quintal e em cima do meu quarto. Minha casa estava com um imenso buraco de onde subia fumaça e os bombeiros ainda jogavam água no que tinha sobrado. Metade da casa tinha ido para os ares e o que sobrou estava enchumaçado pelo fogo da explosão. A bomba tinha sido jogada bem em cima do meu quarto e no abrigo antibombas; uma bomba jogada no lugar que seria para nos proteger das bombas dos russos. Nossa casa estava destruída e somente a cozinha e a frente da casa estavam de pé. Parte da sala também, assim como o quarto do papai e o das meninas. A cozinha no lado oposto da casa ficou inteira preta de fumaça, e onde era meu quarto havia um buraco imenso, tomava a metade da sala e o quintal, um buraco no telhado, mas quase toda a casa milagrosamente estava em pé. A parede de ligação para a casa vizinha ficou de pé também porque a pedra que estava debaixo do meu quarto a segurou com os pôsteres do John Lennon e da loira, parte do papel colorido ainda estava visível na parede negra e arrebentada, molhada pelos bombeiros.

E finalmente alguém me disse mais uma vez que não tinha sido uma bomba, eu não sabia mais em que acreditar, e que foi papai que provocou tudo aquilo. A explosão começou no seu abrigo antibombas com apenas uma dinamite, tempo que deu para todo mundo correr de dentro de casa assustado, achando que a casa iria cair, menos Aline que já estava sem vida pela morte de Victor. Disseram que o fogo da primeira explosão se alastrou e atingiu as outras dinamites que papai guardava no seu túnel e que ele devia ter usado para explodir a maldita pedra. Ouvi também alguém dizer que papai e Aline morreram na explosão.

Escutar que papai morreu foi como me matar. Mesmo ele me batendo daquele jeito eu não tinha raiva dele o tempo todo. E não aguentei dessa vez. Foi muita coisa junto, apaguei. As pessoas não tinham vozes nem rostos, eu mal via a fumaça, muita água e destruição para todo lado. Entrei em coma. Eu não sabia mais os nomes das pessoas, tempo presente e tempo passado saíram da minha memória, esqueci o nome dos objetos, a jura de vingança, a paixão que foi e a paixão que ficou, cores foram perdendo tonalidades e objetos ficaram sem formas, o que eu sabia de mim mesmo esqueci. Desci meu olhar para o chão como os porcos e nunca mais levantei as vistas.

Um *flash* de lucidez do meu coma aconteceu quando um tenente entrou na casa de seu Alfredo para dizer que iriam reconstruir a nossa casa. Aquilo deveria ser um conforto para nós, mas não foi. Geísa agarrava meu braço e olhava para mim chorosa, querendo consolo que eu não sabia dar. Não tinha aprendido a cuidar dela. Precisou tomar calmante para se acalmar. Dessa vez a química do meu corpo não mudou como quando eu perdi o gosto das coisas, o doce do açúcar e o azedo do limão, dessa vez o fio foi totalmente desligado. Meus olhos viviam olhando o chão, não viam as pessoas acima dos joelhos, não viam seus rostos nem seus olhares. Naquela noite eu fiquei no sofá da sala cheirando a cigarro, Isabel dormiu com Heloisa e Geísa armou sua rede na cozinha, dormíamos em redes no Pindaré, e sonhei com papai gritando "Agora eu acabo com essa pedra dos infernos". Sonhei ainda como um garoto do mato mergulhando no Pindaré com minha mãe e meu pai quando ele era uma pessoa entusiasmada e esperançosa. No outro dia, continuei como se o dia não tivesse amanhecido, como se eu não estivesse mais entre os vivos.

O ACERTO DE CONTAS

Nem parecia que eu vivia na casa da Heloisa. Sua voz só não virou uma tortura maior porque eu não conseguia ouvir os sons fora da bolha, e com as vistas mirando o chão, os pés das pessoas, meus olhos nunca encontravam os seus e o seu corpo, eu via a sua sombra sem a sua presença. Estavam mortos os sonhos de virar um daqueles guitarristas cabeludos dos discos que Victor me deu, de querer ser flamenguista, nada disso entrava na bolha onde me enfiei para nunca mais sair. Meus sentidos atravessavam aquela proteção apenas onde não havia pessoas, como o clima barroco da barbearia de seu Alfredo, a foto de Jacqueline du Pré que me encantava, e o calor entrando pela janela desde a manhã, o sol passando longe da vitrola e os discos de *jazz*, arrumados como se fossem um altar, e os instrumentos musicais deuses, tudo tinha um significado que eu achava importante mas distante de mim.

Dona Maria Alice tentou uma vez dialogar, talvez porque ela vivesse também em uma bolha e não queria que eu fizesse o mesmo, mas deu em nada. Era minha natureza ser quieto e calado, não gostar de jogar finca ou bola na areia do largo com os moleques. Tudo que me perguntavam, e mesmo sem ouvir a pergunta direito, eu respondia "Nada não". Estava escrito na minha testa que tinha perdido o pai. E que não tinha mãe. Ir à escola nem pensar. Nem ao cinema, nem ficava na frente da televisão. Dormia cedo e acordava tarde. Estava bloqueado para pensar o passado, e sem ele eu não tinha como querer o futuro. Simples assim.

Nem na hora do almoço, todos sentados ao redor da mesa cheia de louças bonitas, copos decorados nas bordas e com desenhos geométricos no próprio vidro, acanhado para tocar naquelas peças delicadas, eu e Geísa, a gente sempre se olhava naqueles momentos, Isabel parecia da casa. Só uma coisa me chamava atenção. Um detalhe. Eles não tinham faca em casa. Nem na mesa, nem na pia, em lugar algum. A gente comia com colher, e não com garfo e faca. Comer com colher é um hábito da roça, e eles eram finos, dona Maria Alice estudou em escolas grandes e teve família de classe antes de se decidir por viver no interior com seu Alfredo.

Isabel cuidava de mim como mãe e mais uma vez se intrometia na minha vida como se mandasse em mim, relatou a minha façanha com os guerrilheiros com as informações que tinha para seu Alfredo, não como aconteceu de fato, a minha relação com Diana, mas nem vontade tive de contar a verdade como tinha acontecido, porque não me lembrava mais de nada, ela contava com medo que eu fugisse com os guerrilheiros para o Xambioá.

— Para uns é burrice, para outros é coragem. De qualquer forma os guerrilheiros já chegaram ao Pará ou já foram mortos. Não pense mais nisso. Agora vamos tratar de voltar a estudar, de aprender música, o que acha? — disse seu Alfredo.

Um diálogo inútil. Não respondi e continuei com os olhos nos sapatos das pessoas como sempre.

— E se o senhor estivesse jurado de morte?

Ele arregalou os olhos com minha rara manifestação. Nem quis saber por que eu estava jurado de morte.

Geísa agiu como uma criança birrenta, se mudou logo que taparam o buraco no meu quarto, encheram de terra e colocaram um piso de cimento, derrubaram o resto de parede que ficou de pé, religaram a luz e a água. Fui embora com minha malinha e minhas cobertas junto com ela sob os protestos da Isabel e continuei como se eu estivesse dentro de uma bolha de sabão flutuando entre os escombros e os fantasmas da minha casa, da mesma forma como flutuava entre os objetos barrocos da barbearia musical de seu Alfredo, lugares inexistentes no globo terrestre.

Eu dormia no seu quarto e à noite ouvia ela dizer que papai e Aline iriam a qualquer hora aparecer, não haviam morrido na explosão, ela tinha que ficar morando ali para recebê-los quando voltassem e eu não me importava com essas histórias porque para mim os meus parentes não eram mesmo pessoas mortas, não eram fantasmas. De manhã, Geísa pedia para eu levar seus bolos para dona Gerusa vender no seu quiosque no mercado. Deixava o cesto antes de o dia clarear, ia num pé e voltava noutro fugindo da presença de qualquer soldado ou jipe do exército, nunca mais cruzei com um deles, até porque na hora em que eu saía não havia movimento de pessoas na cidade, o comércio ainda estava fechado. Os bolos também serviam para adular os soldados que construíam nossa casa, nem durara um mês e estava quase toda pronta. Isabel perdeu a paciência, era a única pessoa que eu ouvia, minha metade solta de mim, nascemos na mesma barrigada, ela percebeu que eu era uma pessoa ainda para ser terminado de criar, um menino, e me encheu o saco para voltar a estudar, que resolvi ceder.

Estava quase escurecendo quando fomos juntos ensaiar na fanfarra do convento que iria tocar no desfile de 7 de Setembro para comemorar o sexagenário da independência do Brasil.

Chegando perto da pracinha onde meus antigos colegas se juntavam, os instrumentos no chão para serem escolhidos, as freiras se agitando com seus ajudantes, eu iria escolher um instrumento para tocar também na banda, senti naqueles becos escurecidos, a tarde morrendo, o cheiro de carniceiros nas ondas do ar, que circulava lentamente de poeira em poeira e foi ficando mais forte, então larguei Isabel sozinha e desisti. Pedalei de mangueira em mangueira como se brincasse de ser invisível, e desci a ladeira passando pelo soldado de binóculo que não me viu, nem sabia da minha existência. Ele também parecia aborrecido com a monótona paisagem do rio cortado pela balsa e por seus motores barulhentos no contrassol do poente onde a boca da noite se anunciava. Sentei debaixo da cajazeira no pôr do sol sob as montanhas do norte, onde o último fiapo do sol vermelho projetou na piçarra atrás de mim uma sombra comprida, negra e solitária da minha imagem. A escuridão invadiu o céu e o rio virou chumbo, me tornei uma sombra negra como todo o resto. Os soldados começaram a chegar ao Vietnã e achei melhor não me arriscar ser visto, vai que a bolha não se tornasse invisível para os outros?

Procurei Isabel na praça e ela havia ido embora, o ensaio já tinha acabado. No meio dos estudantes que se dissolviam, cada um levando o seu instrumento, um assoprava uma corneta desafinado, outros batiam baquetas em um tarol e Heloisa se afastava em companhia de um cabeludinho todo invocado, usando calça da moda, fiquei com ciúme.

O sangue frio se aqueceu, o ciúme despertou meus sentidos adormecidos pelo coma. Decidi cortar aquela paquera passando perto dos dois para ela me ver e atrapalhar, como se fosse sem querer. Aproximei, mas o plano não funcionou porque os dois deixaram a praça sem me notar em sentido contrário ao meu e entraram numa rua de pouco movimento. Primeiro fiquei na dúvida de ir ou não ver para onde eles tinham ido, e segui os dois, agi como um rato, com o coração batendo forte, suspeitando que não veria coisa boa. Dei de cara com os dois se beijando. Heloisa e o cabeludinho se agarravam no escuro, se beijavam e se pegavam quase sem ser vistos, encostados em um muro onde havia pouca iluminação. Minha primeira reação foi correr antes de ser identificado. Seria muita vergonha. Fui juntando raiva, se tivesse com o revólver naquela hora eu faria uma besteira, e não corri como queria, enquanto a via com outro despenquei no mundo duro e real, onde as pessoas amam e matam, riem e choram. Na minha volta ao mundo dos mortos e vivos fui me sentindo a pessoa mais rejeitada do mundo, preferia morrer a ver aquela cena da Heloisa com outra pessoa. Me afastei querendo achar um para matar.

Peguei a bicicleta do chão desejando ter morrido naquela explosão do meu quarto, comecei a andar após todo mundo deixar a praça, naquele vazio senti a presença de alguma coisa vinda do escuro. Geraldo apareceu vestindo roupas civis, não era mais militar, tinha dado baixa como soldado raso, encostado por causa do ferimento no braço e veio para cima de mim com uma cara de meter medo. Sem saber se corria ou se sorria para disfarçar, ele mudou as feições de repente, fez uma cara de malícia como se estivesse me vendo fazia tempo, abriu a camisa de propósito para deixar aparecer a imensa pistola do exército que ainda estava com ele. Ia virar um caçador de gente como o seu amigo cabo Pena.

— Se fudeu! Não fugiu com a comunista nem foi embora com o cabeludinho.

Agiu com rancor mesmo se disfarçando. Fedia a pinga e as veias inchadas dos olhos pareciam querer estourar de sangue. Senti que ele queria brigar comigo, mas eu me contive e não o respondi. E ele não desistiu.

— Perdeu o pai. Perdeu a irmã e agora perdeu a namoradinha. E ainda por cima virou corno, ganhou um par de chifres. Se fudeu!

Nunca quis tanto na vida ter em mãos meu velho revólver que estava enterrado no fundo do quintal. Sem ele esperar, e nem eu, fiquei cego, perdi o controle e achei que podia matá-lo com as próprias mãos. Procurei desesperado no chão alguma pedra ou um pedaço de pau ou ferro, qualquer coisa dura que eu pudesse lhe acertar, rodei em volta e não encontrei nada e quando levantei a vista ele tinha parado de me gozar. Vi quanto eu estava branco, passado, fora de controle. Eu não pensava em encarar uma pessoa maior do que eu e armada. Me acalmei e virei as costas desistindo. Ele falou em tom de raiva e vingança.

— Você não é melhor do que eu não, sabia?

Perdi o resto do controle e me transformei em algo que me deixou cego como nunca tinha ficado antes. Avancei sobre Geraldo reunindo tamanha força possessiva que acertei um violento murro no seu rosto duro como uma rocha e o vi cair no chão e a minha mão doer muito. Foi um soco tão forte que ele caiu no chão da mesma forma que os lutadores caem em nocaute numa luta de boxe, tonto sem conseguir se levantar, e minha mão doeu como se eu a tivesse quebrado. Ainda possesso gritei descontrolado:

— Eu não sou igual a você. Eu não mato pessoas.

Ele me olhou assustado. Todas aquelas perdas e frustrações por não ter conseguido fugir que ficou retesada explodiu e o chutei ainda no chão, acertei o seu rosto, sua cabeça e depois os seus braços, chutei o que estava na frente até perder minhas forças e ele começar a sangrar. Quando parei ofegante, ele arregalou os olhos de susto para mim, sem coragem para reagir. Virei as costas para cair fora antes que alguém aparecesse e ouvi seu grito atrás de mim, mas não me intimidei, continuei andando.

— Pode parar aí mesmo, filho da puta. Aonde você pensa que vai?

Com o rosto sangrando e caído no chão, ele apontou e mirou sua pistola quarenta e cinco no meu rosto pronto para atirar. Não achei que ele fosse atirar, dava para ver os seus olhos de ódio, mas ele não era um assassino sangue-frio coisa nenhuma, era um cagão de verdade. Me virei e fui pegar minha bicicleta.

— Você me paga. — Foi uma jura de vingança sem a mesma força como a do cabo Pena.

Para o cabo, minha alma era sua, e eu não tinha escapatória. Quando um assassino como o Pena jura de morte alguém, é certo que ele vai cumprir. Ele era um daqueles assassinos contratados pelo exército para capturar os guerrilheiros e trazer apenas as suas cabeças. Era com ele que eu deveria me preocupar. Devia ter dezenas de crimes nas costas, diziam que o cabo de sua faca tinha mais de vinte marcas, uma para cada sujeito que matou. Geraldo era covarde, mas havia apanhado, e isso poderia virar outra coisa. Precisava agir. De tão cego de raiva não percebi que um jipe me acompanhava e que o sujeito tarracudo do lado do motorista era o cabo Pena. Antes de entrar na rua da casa do seu Alfredo, consegui olhar os seus olhos arregalados como se eu fosse um fantasma, os olhos de quem tinha alguma coisa para dizer, baixei a cabeça e botei o pé na tábua. Precisava pegar o revólver. Agora tinha dois sujeitos matadores querendo acertar as contas comigo.

War is over... if you want

Estava eu de novo em pé de guerra me achando um guerrilheiro perigoso de verdade, do tipo que eu nem tinha conhecido, só de fama, como era o famoso Osvaldão, media quase dois metros de altura, negro e forte, em seu corpo fechado bala não entrava, era imortal, e além de ter uma boa pontaria podia matar com as mãos. Precisava ser como ele para sobreviver. Posicionado estrategicamente e pronto para enfrentar o exército, aviões, helicópteros, o diabo que viesse me pegar, escondido como um bicho no fundo do quintal, grande e comprido com alguns coqueiros espichados quase tocando nas nuvens, suas copas entortadas pelo vento estavam acima da copa dos pés de sapotis, e onde eu estava era um munturo cheio de pés de pimentas-de-macaco, um lugar pantanoso, com taiobas coceirentas, nada além de cobras entraria ali para me pegar, parecia um idiota brincando de guerrilheiro. Estava completamente perdido como sempre e sem saber o que fazer, que rumo tomar, sem ninguém com quem contar. Isso era o pior de tudo, não ter ninguém para me ajudar. Geraldo ia querer vingança. No meio do mato eu forrei um canto embaixo e em cima com papelão, e passava o tempo sonhando com um confronto e treinando a pontaria do revólver. Na parte da toca que dava para a minha casa eu fiz uns buracos no papelão para ficar de vigia e embaixo escondi duas facas de cozinha, mais uma garrafa de água e fartura de bolos da Geísa.

De repente, o chão tremeu, parecia que eu nunca me acostumava com aquele pesadelo vivo, e me apavorei. O barulho surdo de um avião dos meus pesadelos com o fim do mundo ganhava força. Puxei o cano do revólver do buraco de papelão, apontado para os soldados arrumando a minha casa, e mirei o céu, me preparei na espera, espera é o nome que se dá ao lugar onde se fica à espreita à noite, geralmente em cima de uma árvore à espera da caça à noite, paca, tatu, cotia não, porque era bicho do dia, pronto para liquidar com meu revólver quem fosse, bicho, gente ou avião. O Hércules passou como uma sombra-relâmpego. Apertei o gatilho do revólver pá, pá, pá, três tiros, três socos. O revólver funcionou. Todas as balas estavam boas. Não estava doido achando que dava para acertar o avião não, eu queria era testar a arma e só poderia fazer isso sob o imenso barulho do avião para não ser descoberto pelos soldados. Senti o cheiro de pólvora queimada, voltei o cano quente do revólver ainda fumegante para o buraco do papelão, apontei a mira novamente para a obra, e os soldados trabalhando sob os cuidados da Geísa. Sabia que era naquela direção que ora ou outra o Geraldo e o cabo apareceriam para me pegar.

Chegava à toca cedinho e só voltava para casa à noite na hora de dormir no mesmo quarto junto com Geísa, ela rezava para mim e para as almas do papai e da mamãe todas as noites. Ela não gastava mais pedras nos aviões e servia café e bolos para seus pedreiros bonitões, com sotaques do sul, que sobem e descem por uma escada levando telhas novas e trazendo telhas velhas. Interrompem o serviço a pedido dela rindo um para o outro, mas tratando-a muito bem, com educação, respeito, *et cetera*, para o lanchinho de bolo com café que sempre chegava de hora em hora.

— Tá quente, casque, eu tirei agorinha mesmo do forno — dizia Geísa solícita e desajeitada. Agradecia os elogios dos soldados pelo café e bolos dizendo "Nadiquê".

Ela parecia viver naqueles escombros como se papai e Aline ainda estivessem conosco. Nem seu Alfredo nem o padre conseguiram retirá-la de nossa casa. Todos nós na família tínhamos um parafuso a menos, com exceção de Isabel.

Em vez do Geraldo, apareceram a irmã Raquel e seu Alfredo. Os dois juntos, o músico pecador e a freira irmã de Deus. Geísa apontou o fundo do quintal e meu esconderijo foi por água abaixo. Tive de sair. Se fossem até o fundo do quintal descobririam meu armamento. Apareci sem jeito, com a cabeça baixa, como um vira-lata pedindo de alguma maneira que eles não brigassem comigo, e não brigaram, nem me encheram o saco com perguntas. Nem de longe tinham noção de meu pânico. E eu não podia falar. Não podia confiar neles. Deixei parecer que estava ressentido com a perda dos meus parentes. Seu Alfredo não gostava muito dos militares, mas mesmo assim não iria me ajudar se eu falasse toda a verdade. Fingi que ainda estava dentro da bolha e em estado de coma, como um guerrilheiro estudante de medicina se disfarçava de pescador, e deu certo.

— Vamos às nossas aulas de música? — me convidou seu Alfredo com a mão no meu ombro e um sorriso nos lábios que eu não vi, porque olhava para o chão, notava o sapato branco da irmã.

Confirmei com a cabeça sem tirar os olhos de baixo.

Me concentrei em encontrar um novo e infalível plano de fuga, e dessa vez sem nada dar errado. Pensava dia e noite a mesma coisa. Mas eu tinha a vantagem de ser um cabeça de vento. Ser cabeça de vento é algo muito especial. Dá aos outros a sensação de que somos aéreos, e na verdade não somos. Não esquecemos os nomes das pessoas como esquecemos, nem gravamos números porque não temos boa memória. Um exemplo é quando encontro alguém e geralmente não consigo lembrar seu nome, assim como nunca respondi uma pergunta feita com muita rapidez. Preciso de tempo para encontrar essas informações, elas nunca estão prontas. A nossa mente está sempre vazia e despreparada para as coisas do momento. Esse esquecimento, eu chamo de memória retardada, da informação que demora a aparecer. Esse retardamento, que na verdade é uma defesa, uma bolha de pensamento que funciona sob estímulos emocionais e da arte, produz o improduzível. Essa dificuldade em decorar o mundo como ele me é oferecido me fez sofrer um pouco na escola e em tudo o mais que eu precisei apreender dos livros, mas por outro lado essa cabeça de vento foi a minha salvação. Eu não tenho um pensamento esquematizado, com respostas prontas, ligadas ao mundo ordinário. Alguns acham que nesse vento nascem sonhos. Outros, que nascem besteiras. De forma que para o meu futuro o que era um defeito virou uma vantagem. A criação extraordinária existe em mentes retardadas assim. É ótimo para escrever livros, pintar quadros, fazer filmes, e ajuda a gente a crescer sempre; é uma mente que se mantém fresca, não repete as coisas que recebe, tem seu próprio motor, aquele que liga os atos de renovadas criação e loucura.

***

Alfredo me ensinava a tocar bandolim reclamando da minha desatenção e eu não podia pensar noutra coisa, nem na existência da Heloisa debaixo do mesmo teto. Mas meu disfarce estava por um fio.

— Pega assim. Põe o dedo aqui.

Eu me atrapalhava com as cordas do bandolim, com o pensamento em matar o cabo Pena, antes que ele me degolasse. Seria preciso fazer uma tocaia como se fazia no sertão e pegá-lo de surpresa, como se caça uma paca na espera, porque no corpo a corpo eu perderia feio. Esse era o plano. Não podia falhar. Queria matar a Heloisa, a traidora, junto com o cabo e o Geraldo. Mataria os três. Todos mereciam morrer. Tinha balas suficientes para executar a tarefa como se eu tivesse adquirido o sentido gerativo da necessidade de sobrevivência dos guerrilheiros: matar antes se puder, perguntar depois se der tempo.

— Desse jeito, desligado assim, num dá de aprender alguma coisa. — Desistiu de mim com a cara amarrada e foi atender um cliente com a barba por fazer achando que estava perdendo seu tempo.

Os músicos de sua banda foram chegando e testando seus instrumentos, e sentei novamente naquela cadeira velha ao lado da radiola e os discos de *jazz*, perto do pôster da Jacqueline du Pré, uma mulher bonita, loira, dos olhos claros, com um violoncelo entre as pernas. O cheiro de cigarro denunciou onde estaria Heloisa e dona Maria Alice, a musa do seu Alfredo, ele tocava somente para ela ouvir, porque ela vivia como se estivesse nos anos trinta dentro de uma daquelas novelas de Fitzgerald que ela sempre lia, e descobri algo muito importante folheando uma revista, *O Cruzeiro*.

Nunca tinha folheado uma revista na vida. Logo nas primeiras páginas havia uma foto bem grande do John Lennon ao lado de Yoko Ono segurando um cartaz imenso, onde estava escrito *War is over*. E um título bem grande em cima da foto: "A guerra acabou". Por se tratar de Lennon, uma pessoa que eu não tinha a menor ideia de quem era, nem sabia o tamanho da sua fama, nem nada, comecei a ler a matéria onde ele dizia que aquela campanha, aqueles cartazes, era para que a guerra acabasse de verdade mesmo. Aquilo foi a forma que ele encontrou para fazer a Guerra do Vietnã parar. Enquanto a banda de *jazz* entoava "Brasileirinho" em ritmo de New Orleans, com os músicos vestidos em trajes nordestinos, eu liguei as coisas. Se eu fizesse então a mesma campanha aqui, se eu protestasse contra a guerra como ele, também conseguiria o mesmo resultado, e não seria mais perseguido. Minha ideia me fez sorrir.

Se a guerra acabasse, outro mundo renasceria, onde a jura de morte se acabava e a vingança do Geraldo não teria sentido. Eu poderia deixar o cabelo crescer, Diana podia aparecer que não seria mais presa e eu me casaria e viveria com ela para sempre no Rio de Janeiro fazendo as mesmas coisas que o Victor disse que fazia quando vivia lá, tanta raiva sentia da Heloisa que evitava pensar nela. Seu Alfredo ficou contente com meu entusiasmo e me deu a revista. Disse que John Lennon era um músico dos Beatles, e ele conhecia muito de música, era o único na cidade a gostar do tal *jazz*. Ele e a mulher dele.

Entusiasmado com o achado, recortei a foto de John e Yoko segurando o pôster onde estava escrito bem grande *War is over* e colei a foto numa cartolina branca. Escrevi em letras de forma bem grandes embaixo da foto o mesmo texto em português que tinha no cartaz segurado por Lennon, "A guerra acabou". Geísa desconfiou da minha alegria, uma reação que fazia muito tempo não tinha, mas esqueceu de perguntar sobre a utilidade daqueles cartazes. Os soldados não deviam conhecer John Lennon, não escondi nada deles e mesmo assim ninguém viu o que fiz. Sou bom no desenho e só tirava dez em arte, a única matéria em que eu sempre ia bem, e os dois cartazes ficaram com a frase de Lennon bem destacada no meio. Estava bem clara a mensagem. Fiz dois pôsteres, com uma foto a menos no segundo, mas com as mesmas palavras em inglês e português, e assinei com o nome de John Lennon também bem grande. Dois pôsteres poderiam funcionar, se precisasse faria mais. Se a guerra acabasse eu não precisaria mais matar o cabo, era a lógica. Se o Lennon fez uma guerra acabar, eu também poderia fazer.

Voei na *bike* com o revólver escondido no cós da calça e encoberto pela camisa, com os dois pôsteres debaixo do braço disposto a não ser capturado antes de mostrá-los. Mesmo desatento, senti o cheiro das valas correndo água com cheiro de espuma de sapo e o aroma acre das folhas de manga queimando em algum quintal, nada vindo do suor fedorento dos caçadores de guerrilheiros.

Cruzei com a irmã Raquel conversando com um militar cheio de listras nos braços na altura do ombro e parei diante de uma parede da escola, um lugar onde todos veriam na hora do recreio, e não se colam cartazes. Comecei então a abrir o pôster na parede, um olho na irmã e outro no militar. Lentamente iniciei meu protesto até mesmo para o militar ver. Terminei de abrir o primeiro pôster no momento em que o sino do recreio tocou. Bati uma tachinha com o martelo que eu trouxe o primeiro canto da cartolina, ansioso pela reação das pessoas.

Eu reproduzia naquele cartaz a mesma campanha pelo fim da Guerra do Vietnã promovida por Lennon e Yoko em *outdoors* nas ruas de Nova York. Naquela parede do tradicional colégio Dom Emiliano Lonatti, em uma cidadezinha desconectada do mundo, nem pertencia à Amazônia nem ao sertão, eu reproduzia a campanha pacifista de Lennon em protesto contra a Guerra do Vietnã, no ápice da paranoia da Guerra Fria. A campanha foi reproduzida em outras cidades como Londres, Berlim e Paris, com imensos *outdoors* anunciando que a guerra havia acabado. Uma campanha publicitária que ele pagou do próprio bolso. Minha campanha não era em vão, portanto.

A campanha de Lennon foi criada a partir da música *So this is Christmas (War is over)*. Canção entoada em protestos contra a Guerra do Vietnã no mundo inteiro. Como as revistas chegavam aqui muito atrasadas e ficavam anos em cima da mesinha da barbearia, a minha campanha estava sendo realizada um pouco atrasada. A campanha foi tão forte que o presidente Nixon tentou expulsar Lennon dos Estados Unidos, mas não conseguiu.

Isabel e Heloisa chegaram quando eu ainda colava vagarosamente a última das pontas do cartaz. Mais estudantes se juntaram. Isabel nem se importou com o que estava escrito e ficou feliz em me ver.

— Daniel! Não acredito! Você aqui?

Olhei somente para Isabel e esnobei Heloisa. Estava metido. Quem me visse não acreditaria o que eu era agora, com a cabeça levantada. Heloisa foi insistente, chegou bem perto de mim e do meu cartaz e olhou nos meus olhos como antes. As pernas tremeram, mas não perdi a pose. Estava sedutora como antes, e querendo me pegar como antes, eu não podia ficar com raiva de uma coisa que ela nem sabia que eu sabia, mas não cedi.

— Que guerra é esta que acabou? — me disse como se me chamasse para a gente ir lá fora da escola e começar a se beijar, foi assim da outra vez.

Mas me fiz de rogado.

— A nossa, oras.

— Que guerra é essa? Como você sabe? — disse me olhando com olhos incendiados.

— Sabendo. John Lennon disse que a guerra tinha acabado. E ela acabou — disse sem titubear.

— John Lennon? Quem é esse?

Apontei para o cartaz.

— O carinha dos Bitous.

Heloisa e Isabel fizeram uma cara estranha, mas gostando da minha atitude. Heloisa não parava de olhar para mim e eu continuava sem saber o que fazer, não daria mole nunca. Não conseguiria mesmo se quisesse. Era mais fácil ser difícil do que ser fácil.

— Eu curto as músicas dele — disse cheio de pose.

Heloisa se derreteu. Segurei o revólver. Vai ser o diabo agora, pensei. Comecei a ficar tímido, a querer abaixar os olhos, mas não abaixei, e continuei olhando para ela. Então ela foi mais íntima ainda.

— Por que você não fala mais comigo? Está com raiva de mim?

— Tô não — respondi como das outras vezes em que estava no estado de coma e deu certo.

Ela parou de perguntar. E a gente ficou naquela bolha onde só existia eu e ela, como se não houvesse mais outras pessoas em volta até ouvirmos o sino do fim do recreio tocar. E eu tomei pé de que ainda estava apaixonado por ela tanto quanto antes.

A irmã deixou o militar para ver o que eu tinha feito para juntar tanta gente e o militar veio atrás. Fugi rapidamente para o fundo da escola levando o outro pôster debaixo do braço enquanto os alunos voltavam para as suas salas. Foi um choque perceber que o cartaz não iria fazer efeito rapidamente. Que a guerra podia continuar e eu ainda poderia estar jurado de morte.

Atrás das colunas que seguravam a caixa d'água, onde eu fui me esconder até poder fugir pela porta da frente, não tinha outra saída aberta pelos fundos, Heloisa surgiu atrás de mim, em vez de voltar para a sala de aula como tudo mundo. Foi um susto. Com aquele brilho nos olhos que valiam por mil palavras, chegou perto de mim e começamos a nos beijar. Rapidamente me encostei na pilastra da caixa d'água e ajeitei bem a arma na cintura no lado de trás, onde os sujeitos mau elemento e espírito de porco guardam a sua faca. Enquanto a gente se beijava, Heloisa deixou sua saia se levantar e encostou sua calcinha em mim. Foi como uma facada. Morri de vergonha e não sabia o que fazer. E a irmã Raquel finalmente me encontrou.

— Que que vocês estão fazendo aí, não deviam estar na sala de aula?

Num fiapo de segundo, Heloisa estava de pé com a saia abaixada, como se não estivesse quase nua, e eu não, apavorado, fiquei sem saber que arma esconder da freira, pus o cartaz que sobrou na frente da minha calça para ela não ver minha excitação. Heloisa sumiu e eu fiquei sem me mexer com medo de a irmã suspeitar de mim segurando o cartaz tampando minha virilha. A irmã viu o cartaz e abriu os olhos espantados porque estava lendo os escritos. Mas achei que ela estava era vendo a minha excitação e amarelei de vergonha.

— Que foi que você fez, Daniel? Escrevendo essas provocações para o pessoal do exército.

— É para a guerra acabar — disse ingenuamente.

Ela me olhou com dó e aproveitei para escapulir. No corredor, encontrei o militar diante do meu cartaz. Quando estava quase na sua frente ele fez um rompante e rasgou o cartaz quase em cima de mim. Gelei dos pés à cabeça. Seria incapaz de sacar o revólver nervoso daquele jeito. Empurrei a *bike* azulada e deixei a escola voando para a piçarra, segurando novamente a arma certa para não cair, porque agora era eu quem queria achar o cabo e dar cabo do Geraldo caso a guerra não acabasse com meu protesto. Precisava voltar ao plano anterior antes que fosse tarde. E com Heloisa na minha cabeça, entre suas pernas, essa vontade de não morrer dobrou. Eu não podia morrer nem fugir.

Da alegria ao pânico foi uma virada de esquina. Brequei a bicicletinha em cima de um jipe e esfriei a espinha, seus ocupantes sinistramente me encararam, se quisessem já teriam acabado comigo. Mas eu ainda era uma isca para pegar os guerrilheiros. Em cima do jipe, o cabo e os soldados pareciam estátuas de pedra. Geraldo com roupas civis estava sentado atrás. Imediatamente, puxei o revólver da parte de trás e enfiei no cós pelo lado da frente por debaixo da camisa, dei meia-volta e voei pelas ruelas até chegar à barbearia. Não viram minha poeira. E agora?

Entrei na casa de seu Alfredo de tufão, sem ligar para outro jipe estacionado com um soldado na direção, e dou de encontro com outro militar falando de maneira rude com seu Alfredo. Mesmo sabendo que somente o cabo estava no meu pé, nunca tinha visto outro militar atrás de mim, tentei me esconder. Encostei a bicicleta do lado de dentro para o cabo não saber onde eu me escondia e fiquei sentado no sofá ao lado de dona Maria Alice lendo um livro grossão e fumando um cigarro, de olho na rua e no que acontecia dentro da barbearia.

— O senhor precisa nos entregar esse rapaz. Ele colaborou com os terroristas. Além do mais, ele não é responsabilidade sua, é arrimo de pai e mãe. Ele vai ser preso e transportado para o comando do exército. E o senhor também pode ir preso por acobertar um terrorista. Se não nos ajudar vai sofrer as consequências — dizia o militar alterado para o impaciente Alfredo.

— Tenente, ele é apenas um menino. Eu me responsabilizo por ele. Pode ficar tranquilo. Dou minha palavra que vou levá-lo até vocês quando ele aparecer. Vocês têm de prometer não torturá-lo.

Ao ouvir seu Alfredo dizer que ia me entregar minha reação foi colocar minha mão no meu pescoço. Eu iria ter o mesmo fim dos guerrilheiros. Seu Alfredo estava do lado dos militares.

Quando o militar deixou a barbearia ele me chamou com o dedão indicador e aí pensei em sair correndo. Nem com seu Alfredo eu podia contar. Mesmo assim entrei na barbearia sob o olhar atônito de dona Maria Alice, como se tivesse acordado de um sono profundo de repente, e ele fechou a porta de ligação, a da rua e a janela para eu não fugir. Quando ele se virou para me pegar, eu desabei. Caí de joelhos na sua frente com as mãos juntas na frente como se eu estivesse rezando.

— Não me entrega para eles não. Eles vão cortar a minha cabeça. Pelo amor de Deus, não me entregue pra eles não — disse em prantos, mas sem chorar.

Seu Alfredo imediatamente se abaixou e me levantou.

— Falei aquilo para o tenente nos dar tempo para a gente se preparar para você desaparecer daqui. Meu filho, sua vida corre grande perigo.

— Eu não quero morrer — disse em outras palavras e já em pé, pedindo sua ajuda.

— Se você for pego eles vão te torturar. O negócio é você partir agora mesmo para Brasília. O ônibus sai no começo da noite. Você fez uma propaganda comunista, agora mesmo é que não vão te deixar em paz. Não temos como te esconder. A saída é sumir.

— Eu? — Fui surpreendido mais uma vez.

— É. Você mesmo. Você precisa ir logo para um lugar bem longe daqui. Tenho parentes em Brasília que podem cuidar de você.

— Mas eu não quero mais ir embora não. Juro.

Seu Alfredo não entendeu nada. Chegou bem perto de mim com um jeito sério.

— O negócio é muito sério, muito mesmo. Pegue aquele ônibus e vá embora hoje mesmo para Brasília. Entendeu?

— E se a gente apagasse os dois, o cabo e o Geraldo? — Voltei a querer bolar um plano.

Alfredo olhou para mim por um tempo e ficou pensativo.

— Eles são assassinos, nós não. Eu vou buscar a passagem e você vai pegar suas coisas e se despedir de suas irmãs. Com cuidado.

— O senhor tem um irmão morando em Brasília, é? Por que o senhor nunca quis ir morar lá também? Ou em outro lugar onde as pessoas conhecem a música que o senhor toca?

— Minha música é só para a Maria Alice.

— Mas aí era só levar ela junto, qual o problema? — Queria enrolar o máximo até ele esquecer essa história toda.

Mas ele me deu a atenção que eu não merecia.

— O problema é que ela não gosta de lugares onde há muita gente, e tem problemas para morar em uma cidade grande.

Depois ficou pensativo com o meu silêncio entristecido por ter de ir embora.

— A questão é mais complicada. Alice não pode ficar sozinha. Precisa sempre de alguém por perto e esse alguém sou eu. Eu fico ao seu lado cuidando dela diariamente faz mais de vinte anos. Desde que a conheci deixei meu emprego em um jornal e depois o de educador na prefeitura, onde consegui uma aposentadoria através de amigos políticos, deixei esses trabalhos para cuidar de sua saúde e de sua alma por assim dizer.

— Cuidar como? Ela é doente?

— Ela tem uma doença que nem pega nem mata. Tá dentro da pessoa. A pessoa perde o gosto de tudo.

— Gosto de quê? Não tem remédio não?

— Não tem remédio não. É um tipo de doença na mente. Na alma. Você percebeu que aqui em casa não temos faca, não existe uma corda, nem para amarrar uma rede, nem cinto nas calças eu uso, porque pode ser perigoso para ela encontrar alguma tentação e querer fazer besteira. É por isso que eu só uso suspensórios. Nossa cozinha não tem facas porque ela pode se ferir. A nossa empregada leva e traz todos os dias a faca que usa, eu tranco minhas navalhas a sete chaves toda vez que faço uso, ando sempre com a chave. Até se eu precisar ir ao mercado comprar um peixe fresco, espero Heloisa chegar da aula. Comemos com colher igual aos sertanejos porque uma vez ela tentou se cortar com as facas de mesa. Viver para alguém é um privilégio.

— Por que você gosta daqui? Aqui num tem nada! — Mostrei que não tinha entendido muito sobre o que ele falou, porque me lembrei de falar sobre a Heloisa e insistir que não queria mais fugir do cabo.

Seu Alfredo riu e passou a mão na minha cabeça como se eu fosse um menino.

Heloisa entrou na barbearia cruzando com seu Alfredo na porta, ele saiu e ela entrou, e me olhou daquele jeito sedutor que me deixou sem jeito, era natural me ver nervoso, mas dessa vez não era por causa de sua torturante presença. Precisava contar a ela toda história. Ela chegou perto de mim com aqueles seus olhos de gato, segurando uma toalha nas mãos, o maiô por baixo da blusa, o pequeno *short* mostrava o vinco do maiô, ela estava pronta para sua natação. Esqueci que iria falar da ameaça de morte, mas resisti em cair em seus encantos. Pensei que talvez seu Alfredo tivesse razão e ela também pudesse ser presa e degolada junto comigo.

— Me leva no clube?

— Eu?

— Quem mais? — Olhou em volta e tudo estava fechado, havia apenas nós dois ali dentro.

— Eu não posso sair daqui agora não — respondi apreensivo.

— Pode sim. Eu vou nadar e você podia ir nadar comigo.

— Num é por causa disso não. Eu não sei nadar em piscina. — Não conseguia falar a verdade nem mentir.

— Eu te ensino.

— Eu não posso sair. Não é por isso não. Seu Alfredo pediu para eu não sair daqui. — Disse aquilo sem querer dizer e sentindo meu coração bater do mesmo jeito que tinha batido quando achei que seria entregue aos militares.

— Nem para me ver nadar um pouquinho? Hein? — Ela estava tão próxima e se oferecendo tanto que não precisava mais pedir. — Me leva de bicicleta, vai!

AGORA SEREMOS FELIZES

Usei todas as forças dos braços e das pernas para não derrubar Heloisa da garupa da minha velha e surrada monareta. Tempos atrás tinha vergonha de andar naquela velha bicicleta comprada de segunda mão. Sonhei muito com aquele momento, mas em uma motinha cinquenta cilindradas. Minha paixão voltou mais forte. Sentia que precisava ser diferente, tinha pouco tempo para fazer virar as coisas a meu favor. Suas mãos segurando-se em mim, quase tocavam o revólver escondido dentro do cós da calça, era como se fosse um abraço para nunca mais se soltar. Eu arrumaria um revólver para ela também e a gente fugiria junto, como iria fazer com a Diana e não deu certo. Apertei minhas pernas para esconder o revólver sem perder o equilíbrio e segurar direito o guidão com apenas uma mão, a outra precisava ficar livre para o caso do cabo Pena aparecer e eu tivesse de sacar a arma e atirar.

Na beira da piscina, eu ainda não havia encontrado uma maneira de dizer a verdade, e quando achei que iria falar, Heloisa tirou a blusa e o *short* quase de uma vez e deixou o seu maiô vermelho de bolinhas amarelas, de duas peças, sem arrumar direito. O biquíni pequeno deixou aparecer a parte branca de sua bunda e de seus pequenos peitos, sem se preocupar propositadamente em arrumar esses detalhes.

— Vamos nadar! Tira sua camisa.

Olhei dos lados e não havia ninguém além da gente. Me fiz de desentendido, seu oferecimento me desconcertava. Eu nunca atacaria para um beijo que fosse, não era do tipo de garoto que toma iniciativa. Não ousaria.

— Tô indo pra Brasília — soltei finalmente.

— Me leva junto. — Ela nem pensou no que eu disse e respondeu brincando.

— Falo sério. Tô indo mesmo. Vou hoje ainda — insisti com seriedade para ela botar fé.

— Eu também quero ir — disse rindo e tocando os dedos na água clara e azulada, enquanto arrumava o biquíni olhando nos meus olhos como já fizera outras vezes. — Quando é que nós vamos? Ué? Você não vai me levar junto?

Fiquei um pouco mais contente e achei que ela tinha levado a sério.

— Eu venho te buscar. Eu vou ter de ir logo, na frente. — Me desliguei completamente dos muros que cercavam o clube e da arma.

— Nossa, pra que tanta pressa?

Fiquei invocado, pondo em risco meu plano.

— Fui eu quem ajudou os guerrilheiros a fugirem.

— Eu sei. Isabel me contou tudo.

Ela me achava engraçado, como se eu a fizesse rir de propósito. Também eu agia como se estivesse à beira da morte. Ela se aproximou e disse rindo "Nada comigo, vai". Uma voz suave, isso não é coisa que se faça, não podia cair naquela tentação, eu precisava mudar sua visão, fazê-la acreditar logo em mim, porque se eu chegasse tarde à sua casa não teria tempo de levá-la comigo, não daria mais para nos prepararmos e fugirmos juntos. E enfrentar o cabo se fosse preciso.

Heloisa virou-se de costas e mergulhou com as duas mãos juntinhas na frente, não fez um tchum, nem respingou água, depois emergiu e nadou graciosamente para a borda da piscina. Não aguentei. Tirei a camisa com a arma junto, e de uma arrancada só, corri e me joguei num belo salto, caindo no meio da piscina e fazendo um barulhão. Nadei do meu jeito, batendo os pés desengonçado, do jeito que se nada em rio, nadar na água transparente, não turva como a do rio, era como nadar no vento.

Os olhos de Heloisa pareciam os de uma onça-pintada em cima de uma magrela e valente cachorrinha vira-lata. Mesmo sabendo que a gente já estava namorando, ao menos da minha parte, para mim depois daqueles amassos na escola não restava dúvida, e mesmo assim eu não tinha coragem de encarar aquela vexante situação. Ela jogava água na minha cara como se fosse uma provocação, e eu nem tchum, até que num piscar a gente estava se beijando dentro d'água, e ainda continuei com vergonha dela, porque não tinha mais como conter aquele troço que crescia dentro do meu calção.

Fui surpreendido com a danada pegando a minha mão e colocando sobre os seus seios. Estava sem a parte de cima do biquíni. Foi como tocar na mão de Deus no paraíso. Tinha ido até onde nunca sonhara. Não ficou só nisso não. Senti ela se encostando toda e só então fechei meus olhos de verdade e fiquei beijando e apertando seus pequenos peitos como se estivesse me despedindo da vida. Agia como se fosse o Victor reunindo num momento só a felicidade de uma vida toda. Estava também como o Osvaldão, o guerrilheiro mais temido do Araguaia, seu corpo nem bala nem ponta de faca furava. Abri os olhos para ter certeza de que não era um sonho e vi sua mão colocando a parte de baixo do biquíni na borda da piscina, senti minhas orelhas esquentarem. Sem coragem para ver se realmente a parte de baixo estava livre de roupa, se ela estava toda nua mesmo, fechei meus olhos primeiro e só depois me encostei nela para conferir.

***

Queria gritar de felicidade. E gritava sem sair ruídos. Nunca mais eu sairia de perto da Heloisa. Ela desceu da bicicleta na frente da barbearia e fui sonhando buscar minha maletinha na minha velha casa em obras, para seu Alfredo não ficar com raiva de mim. Relaxei com os soldados operários; mesmo desarmados, vestiam um uniforme rústico de pano grosseiro, podiam perceber meus olhos de tanta felicidade. Se eles suspeitassem ou vissem o revólver, eu seria logo preso e teria minha cabeça cortada.

Isabel e Geísa não viram o estado dos meus olhos tão acesos. Amarrei a minha maletinha mais uma vez na garupa com tiras de borracha e não pensei que estaria me despedindo, não iria mais embora para Brasília. Fui mudando minha visão, minha cabeça de vento foi tomada por um redemoinho, e pensei que não mais chamaria Heloisa para fugir comigo, não, a gente ficaria e nos casaríamos. Viveríamos aqui sem precisar deixar meu rio e meu canto de pescar. Era o costume de um homem que tirasse a virgindade de uma mulher, para mim era a regra, eu não era moderninho como ela, mas gostava de *rock* e de John Lennon. Deixei a casa voando, pulando de dentro para a calçada e derrapando na rua correndo o risco de atropelar alguém, a malinha de Duratex pendia para um lado, eu controlava a *bike*, estava mais uma vez em pé de guerra.

O jipe já estava me aguardando, ali quase ao lado da minha casa. Arregalei os olhos e perdi o fôlego, não consegui mais encontrar forças nos braços e nas pernas. Como se aquilo fosse uma surpresa. As armas do cabo e do Geraldo apontavam para mim. Só pensei que se morresse não teria tempo de namorar Heloisa, de casar, ter filhos e ficarmos velhinhos, como aconteceu com o Victor e a Aline, ou como seu Alfredo e sua mulher que vive nos mundos dos livros, assim como ele nunca sai do mundo da música, mas os dois nunca brigam como todo mundo que eu conheço. Não teria essa felicidade dos outros que nunca tinha tido. Provavelmente, o cabo e o Geraldo cansaram de esperar que eu os levasse aos guerrilheiros, se não fosse isso já teriam me matado. Busquei forças para minhas pernas e mais uma vez pisei fundo no pedal. No peito aberto eu não os venceria, não conseguia atirar em tanta gente sem ser morto antes. Fiz que ia tomar novamente o rumo do platô como eu sempre fazia.

O jipe arrancou logo em seguida, rapidamente entrei numa rua e o jipe atrás foi passando por cima de tudo, quebrando brinquedos, assustando galinhas. De repente, ouvi o papoco dos tiros e as balas zunindo perto de mim. Entrei numa ruela que dava para o mato no momento em que a metralhadora disparou uma rajada de tiros na minha direção, antes de eu ganhar o mato. Não via sangue na minha roupa, mas senti que podia estar com uma daquelas balas enfiada em mim. Passei por cerca de arames sem me arranhar e nem sei como a bicicleta com sua malinha na garupa conseguiu atravessar, tão apavorado com os tiros que nem me dava conta de pensar se uma daquelas balas havia me acertado, as balas ricocheteavam nas árvores e pessoas gritavam ensandecidas. Depois disso não vi ou ouvi, vi ou senti mais nada, como se eu flutuasse numa daquelas ondas de vento que levava as almas e os sons que a natureza gesta.

Acordei para a realidade em minha volta engarranchando a bicicleta no meio do mato salpicado de touceiras de coco piaçaba, nós a chamamos de piaçava, e tentei respirar e adquirir forças para pegar o revólver e tentar ouvir pelo silêncio se ainda tinha gente me seguindo. Se tivesse, iria montar uma tocaia. Mas nada veio quebrar o silêncio. Eu tinha ido muito longe. E precisava voltar. Não podia fugir e deixar a Heloisa. Tomei o rumo de casa e levei um choque quando entrei na ruela e comecei a chegar perto da barbearia onde eu apanharia a Heloisa antes de ganhar o mundo.

Mundo que para as pessoas que encontrei estava caminhando para o fim, pareciam os últimos minutos de suas vidas, pegavam um filho brincando no chão pelo braço, senhoras se aprumavam nas paredes para apressar e não cair, jipes voavam, a guerra estava acontecendo de verdade, o eco dos tiros ainda ressoava na cabeça daquelas pessoas. Quase atropelei uma mulher fingindo estar correndo do tiroteio e ela quase teve um ataque quando percebeu em uma das minhas mãos o imenso revólver apontado para ela, e gritou:

— Os terroristas estão atacando a cidade!

Seu Alfredo ordenava dona Maria Alice e Heloísa para que as duas não saíssem do quarto por nada quando consegui entrar novamente na barbearia. Heloisa olhou para mim com medo, acreditava somente agora no que eu tentava lhe dizer, e sumiu diante da minha boca aberta para pedir a ela que fosse comigo. Em vez de pensar como sendo uma perda, não, eu pensei que nunca iria abandoná-la. Nem morto. Seu Alfredo fechou a janela e a porta que ligava a sala de sua casa, depois se virou para mim branco de medo como se o condenado fosse ele.

— Eu não quero fugir mais daqui. Não quero mais ir para Brasília. Quero ficar.

— Meu filho, você não viu que eles atiraram em você? Já comprei sua passagem. Eles não vão suspeitar que você estará naquele ônibus. Se você não fugir daqui eles vão te matar, por causa da sua ligação com os guerrilheiros. A qualquer momento eles aparecem aqui para te levar e eu não poderei fazer nada mesmo. Vá embora enquanto é tempo. Toma, tá aqui.

Embasbacado sem saber como dizer que ia casar com a Heloisa, peguei aquele bilhete da Transbrasiliana e aquelas notas azuis e vermelhas de cruzeiros como se pegasse uma praga. Uma maldição. Tudo que eu desejei na vida não desejava mais agora. Não podia deixar Heloisa para trás, logo agora, mas eu não sabia lidar nem recusar as ordens de seu Alfredo. Mas era um pouco teimoso.

— Eu tenho que ir mesmo? Eu não tenho medo deles e tenho um revólver.

Ele nem me respondeu mais. Ficamos naquele silêncio.

Seu Alfredo sabia que eu não entendia o que ele estava me dizendo, mas também eu fui atento ao seu esforço.

— Meu filho, tá na hora. O ônibus já está saindo.

— Não quero ir não — falei meio chorão, mas não chorei, nem nada de olho úmido.

— Não temos mais tempo. Leve a passagem e esse dinheiro.

Esperava Heloisa aparecer de onde vinha o cheiro de cigarro, ela podia pedir a seu Alfredo para não me deixar partir. Ele entendeu isso também. Que estava sendo duro partir. Seus olhos se encheram de lágrimas num instante, e ele falou para mim como se fosse meu pai diferente, o que se importaria comigo:

— Não deixe de aprender a tocar um instrumento. Dê a sua vida uma trilha musical. A música nos eleva ao nível dos pássaros, onde eles, os deuses, não nos alcançam. Serve para outras coisas também, mais mundanas. Não é mesmo?

— E a Heloisa? — disse com os olhos marejando, mas sem fraquejar, sem fazer cara de choro, não era disso.

Seu Alfredo não entendeu. Eu então me entreguei. Agora

não tinha mais escapatória, era matar ou morrer, mais para morrer. Cair na real foi como despencar das nuvens. Mais uma vez, e como sempre, eu estava sozinho. Sem coragem de botar o pé na rua. Quando seu Alfredo falou comigo.

— Ela está com a mãe dela, meu filho. Não pode vir se despedir de você. — E me abraçou, mas nós dois continuamos sem demonstrar emoções. — Seja firme.

— Firme eu sou.

Havia dois monstros lá fora me esperando. E eu estava em desvantagem. Eles sabiam onde eu estava e eu não sabia onde eles se escondiam na tocaia. Entre a barbearia e a rodoviária havia um campo minado, um cenário de guerra e onde naquele dia alguém iria morrer.

Botei a bicicleta na calçada, olhei para um lado e para o outro, estava tudo vazio, as pessoas ainda estavam aterrorizadas com os guerrilheiros. Esperei Heloisa aparecer, ou Isabel, ou outra pessoa, alguém para me chamar e não ter mais que partir. Nem de enfrentar aquele cabo e sua imensa faca. E ninguém apareceu. Seu Alfredo fechou um pouco a porta da barbearia. E na rua todas as outras portas também estavam fechadas. As janelas abertas à meia-folha.

O tempo estava quente e abafado, sem vento, sem comunicação, e sem ele eu não descobriria onde estavam e o que sussurravam os meus futuros assassinos. Chequei a malinha de Duratex toda corroída pelas borrachas de tanto andar de lá pra cá na garupa da minha velha e boa *bike*, conferi o dinheiro e a passagem no bolso com botão, gastando a última reserva de tempo para ver se Heloisa aparecia e me salvasse. Isabel também não apareceu. Nem Geísa. Sequei os olhos ardidos. Respirei fundo. Seu Alfredo estava sério e eu também. Não amolecemos.

Fui deixando ele sozinho na porta daquela rua deserta, pedalando lentamente em vez de sair em disparada como um doido, me distanciando da barbearia medieval e barroca, e rezando para o mundo se acabar ali, naquele momento. Na minha frente só tinha o estirão da rua com seus becos, e o céu por cima de tudo, que desprotegido na sua amplidão acendia sobre mim e o nada as suas primeiras estrelas à luz crepuscular.

O BONÉ DO FLAMENGO

Senti novamente naquele vazio escurecendo a presença das almas começando a chegar voando para dentro das copas imóveis e negras das grossas e velhas mangueiras centenárias, a principal característica da cidade. Sem vento, as almas não podiam deixar as copas e me seguir. Pontos luminosos despontaram acima das folhas petrificadas dos coqueiros naquele início de noite quando puxei o revólver da cintura e tremendo as mãos apontei aquele cano negro e frio para o vazio daquele estirão, a rua imensa e perigosa à minha frente. Ergui a cabeça procurando alguma onda de vento pela qual pudesse vir o cheiro entregando a direção do pistoleiro atocaiado. No sertão brabo e na mata, esses veios de vento que as almas gostam de brincar, como a gente brinca no rio, é que fazem a ligação das coisas. Eles carregam um espirro por quilômetros e mesmo assim a gente consegue diferenciar o grito de um guará do gemido de uma gia na boca de uma jaracuçu. Mas de barulho de gente eu pouco sabia. No Pindaré um sujeito ouve o barulho de um barco subindo o rio dez minutos antes de ele aparecer. Toda corrente de vento é uma linha de comunicação sem fio, levando alarmes, aviso de morte. Esse vento é feito de um material narrativo que traz sons de filhotes sendo comidos em ninhos e tocas escuras. O sujeito que vive nesse eco consegue distinguir os assovios dos passarinhos, das corujas, a percepção das coisas pequenas e das mensagens sussurradas, assim consegue identificar códigos e os sinais antes do ataque. Então, se eu pressentisse o jipe do cabo Pena primeiro, se os visse antes de eles me verem, atiraria antes de eles atirarem em mim, as balas não iriam falhar, precisava dessa vantagem para ter a chance de voltar para os braços da Heloisa.

Só fui sentir algum sinal de vida ao atravessar a rua diante da rodoviária, bem onde existia o único ônibus estacionado com o motor ligado, e nenhuma pessoa à vista, igual a uma cena de pesadelo. Só o ônibus. Meu sentido percebeu algo errado naquele vento parado, naquele tempo oco, por causa de uma sombra numa esquina perto da rodoviária, a silhueta de um jipe traiçoeiro amoitado sob um pé de amêndoa. Via claramente, em cima do jipe, a sombra de duas estátuas sombrias, uma tarracuda, do cabo Pena, e outra magricela, do Geraldo, se confundindo com a sombra do jipe. Aquela perseguição à distância uma hora teria um fim, e eles iriam atirar para me matar. Perdi as forças para esconder o revólver antes que eles o vissem. Se eu corresse seria pior. O cabo Pena era caçador de bicho arteiro, matava paca e veado com um único tiro, não desperdiçava munição, caçava guerrilheiro porque dava mais dinheiro, ele não era um soldado que lutava de frente.

O ônibus acelerou, a fumaça subiu e eu aproveitei para atravessar a rua mesmo sabendo que seria visto. Foi como chamar a atenção de um cachorro feroz. A sombra se moveu também. Como suspeitei. O jipe apareceu abaixo da luz do poste e eu vi o cabo descendo seu braço e sua mão se armando para tirar a pistola do coldre de caubói. No susto, levantei o revólver e fui mais rápido do que ele, já estava com a arma na mão, e atirei primeiro. Foi uma explosão tão forte que o revólver quase caiu da minha mão. Tudo se encheu de fumaça e eu arranquei de uma vez sem certeza se tinha acertado ou não o tiro no cabo. Foi uma arrancada tão forte que praticamente voei com a bicicleta rua abaixo sem sentir as pernas ou o chão. Os tiros ecoaram na cidade fantasma que não me pertencia mais.

No arranque, o cabo devolveu o tiro. Sinal de que ele continuava vivinho. Ouvi mais dois tiros de pistola, pá, pá, e as balas passaram zunindo perto de mim, bateram na parede na minha frente, onde derrapei com a bicicleta numa curva muito fechada e entrei em um beco escuro de não ver o chão, mas sem desgrudar do cabo e daquela arma. Dava como sorte ainda estar vivo. Não encontraria uma casa aberta onde eu poderia me esconder. Peguei uma ruela porque seria impossível seguir naquele mato escuro com a bicicleta, e segui o rumo ao Vietnã pensando em alcançar a balsa e o ônibus. O jipe de repente apareceu noutra rua paralela e jogou luz em cima de mim. Vi o cabo Pena olhando na minha cara e atirou com sua pistola. No meio de tanto mato e escuridão o tiro nem passou perto de mim. Sem ver direito onde eles estavam e sem parar de pedalar na escuridão dos velhos quintais, atirei duas vezes na direção deles e deixei o som dos tiros para trás.

Antes de sumir na escuridão, eles dispararam uma rajada de metralhadora, um clarão de raio iluminou o céu, as balas acertaram as paredes, outras arrancaram pedaços das árvores e das estacas de uma cerca, passaram raspando na minha cabeça, muitas balas, uma delas bateu na bicicleta, e plof! Achei que tivesse me pegado, mas foi certeira no pneu de trás. Virei de volta para a escuridão dentro de um quintal acordando galinhas empoleiradas, mesmo com o pneu rasgado consegui desaparecer entre pés de macaxeira e plantação de abóboras, mergulhei debaixo de uma cerca de arame e sumi na chapada, com a bicicleta arrastando seu pneu mole na areia e touceiras de agreste, pensando na sorte que era ainda estar vivo.

A bicicleta se desmanchava, não aguentava mais tanto esforço, estava se entregando, os parafusos afrouxando, suportava meu desespero, mas se desmanchou antes de eu chegar à rua do Vietnã. Morreu de vez. A roda entortou inteira e tive de largá-la ali mesmo. Peguei minha malinha e comecei a andar rumo ao porto por uma trilha entre quintais e um riacho fedorento vendo a água do rio correndo muito longe, mas aumentando as esperanças de chegar até o outro lado vivo.

Num escuro no qual nem cachorro se arriscava a andar, surgiu uma luz forte bem em cima de mim, do jipe do cabo Pena chegando de surpresa em grande velocidade e freando diante de mim. Senti minha sorte acabando. A mala e o revólver caíram no chão. Fiquei ofuscado pela luz forte e as pernas sem forças para reagir. O cabo pistoleiro desceu junto com a freada, pulou em cima de mim e puxou sua imensa faca do coldre para me apavorar. O revólver estava longe. Um soldado e o covarde do Geraldo permaneceram no jipe. Mais uma vez eu caía nas mãos do cabo. Aquela guerra não tinha lei, nem seguia os padrões de direitos humanos regidos pelas convenções civilizadas, os guerrilheiros e seus simpatizantes eram completamente eliminados da Terra, sem deixar pistas de sua existência. Algo pior que um genocídio. Eu já tinha consciência disso e fiquei quieto, fingindo-me de morto para ver se a morte real que chegava fosse menos ruim.

— Vou te sangrar e levar sua cabeça pra virar troféu. Nunca arranquei a cabeça de um terrorista vivo. A sua vai ser a primeira. Quero ver como você vai ficar quando eu tiver sua cabeça aqui, e deixar seu corpo aí esperneando. E vou ficar com sua cabeça aqui na minha mão ainda falando. Tu não vai entregar mesmo os seus amigos safados. Aqueles macacos. — Falava como se estivesse possuído por algum demônio, os olhos vermelhos, o rosto suado, como se fosse um ritual satânico em que descontava em mim toda a raiva que sentia dos guerrilheiros.

Sem perder tempo, me levantou pelo braço, estava de pernas bambas, esperneei, mas aquelas mãos de lavrador e aqueles braços de sucruiú não se afrouxaram, tornei a amolecer. Olhando bem na minha cara e mordendo a língua no canto da boca, como se fosse fazer algo que precisava de precisão, ele primeiro pôs a lâmina fria daquele facão no meu rosto, raspou minha pele como se fosse barbeá-la e vagarosamente desceu aquele metal frio até o meu pescoço. Uma tortura antes de começar a me cortar.

— Vamos cortar essa belezinha nesse ponto aqui?

Tornei a espernear quando ele marcou o lugar onde iria cortar. Arregalei os olhos quando ele levantou então aquele facão prateado e fechei antes de ele descer aquele golpe fatal. A mente ficou branca. Senti que não podia ver minha cabeça saindo do meu corpo ainda vivo, pensei na minha mãe e no meu pai, que iria encontrar os dois no céu, como se já fosse um sonho, não um pensamento.

Um tiro estourou bem ao nosso lado e eu abri os olhos assustados. Achei que viesse do soldado ou do Geraldo. Outro tiro explodiu perto de mim. Senti meus pés voltando ao chão. O cabo paralisado segurando a faca no alto fazia uma careta para encontrar forças para terminar o serviço.

— Larga ele desgraçado! — Um grito de mulher.

Alguém do meu lado atirou nos soldados e depois deu mais um tiro em nossa direção, quase à queima-roupa. O tiro acertou o queixo do cabo de baixo para cima e atravessou sua cabeça. A faca desgrudou das suas mãos e despencou do alto passando perto do meu pescoço, suas mãos se afrouxaram e eu me soltei. O monstro do cabo Pena despencou no chão ferido e cheio de sangue. Eu passei a mão no meu pescoço e me arrepiei todo. Ufa! O cabo se estrebuchava no chão, chutou a terra com suas botas e urrou como um porco sangrando.

Só então vi Diana caída ao meu lado segurando o meu revólver. Geraldo se escondeu dentro do jipe se protegendo dos tiros, mas o outro soldado, mesmo ferido, sangrando muito, levantou a metralhadora em nossa direção. E disparou a metralhadora a esmo. As balas arrancaram tacos do chão na ponta dos meus pés. E jogaram areia no cabelo de Diana que acertou um tiro no Geraldo. Dois vultos de pessoas saíram do escuro segurando pedaços de pau e acertaram o Geraldo e o soldado. Deram muitas pauladas nos dois. Os sons dos tiros ecoaram ao longo da água negra e espelhada do rio.

— Não deixamos um companheiro na mão — disse Diana, a guerrilheira perigosa, vestida como uma mocinha qualquer. Os cabelos loiros que viviam presos se soltaram e ela sorriu para mim, e eu para ela como se fôssemos crianças alheias àquela carnificina.

Osvaldo e Santiago se aproximaram segurando as armas dos soldados e os pedaços de pau prontos para lutar caso ainda precisassem. Checaram se o cabo estava morto e pegaram sua faca e sua pistola. Diana estava suja de sangue, a roupa encharcada, estava perdendo muito sangue.

— Nós vencemos. Viu? Vencemos eles. Agora a gente pode fugir de novo, né? — disse exaltado sem levar em conta o seu estado e sem cair na real de que o cabo estava morto.

Diana me abraçou sem se levantar, depois me soltou completamente, fazendo caretas de dor, sem voz para falar.

— Obrigada por me ajudar a fugir — foram suas últimas palavras, fechou os olhos e morreu.

— Não morre não.

Fiquei sem saber o que fazer e comecei a querer chorar, mas não deu tempo. Luzes de um jipe se aproximavam longe, pelas margens do rio. Captei o som distante de um helicóptero. Aquele tiroteio tinha acordado meio mundo.

Os guerrilheiros me puxaram, me colocaram de pé e se mostraram preocupados à minha frente, era hora de eu acordar e parar de choramingar.

— Se manda que eles tão vindo nos pegar. Nós vamos voltar para a mata, para ajudar nossos companheiros. Você precisa fugir e ir embora. Vá.

Os guerrilheiros sumiram naquela escuridão em um segundo. Fiquei sozinho entre o cabo e a guerrilheira, o Geraldo caído parecia morto também, peguei minha maletinha e o revólver e comecei a correr por dentro dos quintais por trás da rua do Vietnã, até sair perto da minha cajazeira e ver jipes correndo para onde aconteceram as mortes. Eu estava tão sujo de sangue, do cabo e da Diana, que não conseguiria passar pelos soldados vigiando quem entrava e quem saía daquela balsa. Precisaria pegar a balsa e o ônibus no meio do caminho, para sair do outro lado e pegar a Belém-Brasília. Mesmo com o cabo morto eu não podia mais ficar. Não podia mais pensar na Heloisa nem em minhas irmãs. Não tive tempo de sentir alívio.

Debaixo da cajazeira, onde brinquei tanto, troquei a roupa suja por outra limpa, enfiei o revólver na cintura porque previa ainda ter que usar todas aquelas balas até chegar ao outro lado do rio. Aí tirei de dentro da mala o boné do Flamengo do meu amigo Victor e pus na minha cabeça. Coube legal. Fiquei com a cara de tristeza dele, mas para mim funcionou diferente, me sentia mais esperto e confiante usando o boné. Estava bem disfarçado de carioca. Um jipe cheio de soldados passou por mim e disfarcei que estava fugindo daquele tiroteio. Outras pessoas corriam para entrar na balsa antes de ela partir, fugiam da guerra como eu.

Entrei no campo de vista do soldado segurando com as duas mãos a metralhadora ponto cinquenta de cima do jipe, apontando em minha direção, e ficou assim até eu entrar na luz de um poste, aparecer correndo apressado para não perder a balsa levando uma maletinha de retirante, e ele voltar a mirar naquele escuro cheio de guerrilheiros sanguinários. Botei os pés no porto, o ônibus já estava na balsa, e parei porque dois soldados assustados e nervosos olhavam para todo mundo como se fossem suspeitos. E eu não era mais tão menino assim. Arrumei o boné, abracei a maletinha cheio de coragem, pus os pés na balsa e pum, o soldado me viu. Sua metralhadora apontou para mim.

— Esse aí é torcedor do mengão. É o melhor time do Brasil.

Foi como se o soldado me dissesse "Tá preso". Minha mão se afrouxou na alça da mala, não sabia o que o soldado queria dizer me chamando de torcedor do mengão, não sabia que mengão queria dizer Flamengo. Achei que havia sido descoberto. O helicóptero apareceu fazendo rasante, passou por nós e ficou sobrevoando e jogando sua luz em cima do jipe com os soldados e o cabo morto. O soldado se distraiu com o helicóptero e me juntei a uma família entrando apressada. Conversei com a mulher alguma coisa, ri para o menino com o dedo no nariz enrolando uma caca, mas não para o homem levando um saco nas costas e uma mala. Fui direto para a porta do ônibus. A porta se abriu. O motorista olhou para mim. E eu não sabia o que fazer, se subia, se falava, só tinha angústia e aflição em meus olhos, que dava dó a qualquer um.

— Você é o menino do Alfredo?

Eu balancei a cabeça que sim. A balsa se deslocou do porto. Os soldados partiram em direção aos mortos.

— Sua poltrona é mais ao fundo, número vinte e sete. Ninguém quis embarcar hoje, mas nesta cidade é que eu não fico mais nem morto.

A porta se fechou e deixou do lado de fora o mundo dos ruídos e os dois mortos, se é que o Geraldo tinha escapado. Naquele lugar turvo e frio, havia pouca gente sentada, quase todas as poltronas vazias, nem imaginavam quem estava debaixo daquele boné. A balsa roncou o motor, desatracou se distanciando do porto, os soldados ficaram com sua guerra, as luzes do porto foram ficando distantes, a balsa foi chegando ao meio do rio, até aqui tudo bem. Faltava pouco para chegar deste lado, aqui na frente do hotel.

O ônibus desceu da balsa comigo ainda esperando uma surpresa, o cabo ter sobrevivido, o helicóptero voando sobre o ônibus, e tomou essa estrada aí rumo à rodovia Belém-Brasília. Demorei a encostar na poltrona. Sumiram as luzes do campo de guerra, das lâmpadas deste porto, e tudo fora da janela do ônibus virou breu. Eu afundei. Horas seguidas de escuridão, de silêncio e escuridão. Antes de o dia amanhecer, abri o vidro da janela, atirei o revólver e as balas que sobraram e a fechei novamente. Ninguém me pegaria mais. Comecei a me preparar, naquele mundo escuro e impossível de dormir, eu precisaria urgente ganhar novos sentidos quando o dia clareasse. Mas nunca perdi os sentidos que adquiri do menino criado no Pindaré.

Impressão e acabamento:

tel.: 25226368